Sara Rattaro

IL CACCIATORE DI SOGNI

La storia dello scienziato che salvò il mondo

MONDADORI

www.ragazzimondadori.it

© 2017 Sara Rattaro, per il testo
© 2017 Mondadori Libri S.p.A., Milano, per la presente edizione
Pubblicato per accordo con Meucci Agency, Milano
Prima edizione ottobre 2017
Stampato presso ELCOGRAF S.p.A.
Stabilimento di Cles (TN)
Printed in Italy
ISBN 978-88-04-68344-5

A Samuele, perché questa storia
illumini anche il tuo cammino

Molto tempo dopo...

Quanto a ricordi, non mi batte nessuno. La memoria è la capacità di trattenere le informazioni che raccogli durante la vita, lo spazio che il tuo cervello mette a disposizione per conservarle. Ecco, se le cose stanno così, io ho il cervello diviso esattamente in due. Metà la dedico ai ricordi, metà alla musica. Ovviamente la musica non la suono a memoria ma, per interpretare le Variazioni Goldberg di Johann Sebastian Bach come le ha suonate il grande Glenn Gould ci vuole molto cervello.

Ricordo che, il primo giorno di scuola, la mia maestra indossava una gonna blu e che verso le dieci e trenta smise di piovere, che il 6 dicembre 1980 mio padre tornò a casa con le mani sporche di grasso, dicendo che aveva aiutato una signora a cambiare una gomma, che il giorno del funerale del nonno il termometro segnava ventiquattro gradi e che io non riuscivo a smettere di piangere. So con certezza a chi mia madre ha venduto la sua prima auto, qual è il primo film che abbiamo visto al cinema insieme, le date di nascita di tutti i musicisti che adoro e che Licia è nata esattamente due giorni e nove ore dopo di me.

Quello che proprio non sono mai riuscito a capire è mio fratello maggiore. Sin da quando era adolescente Filippo ha sempre amato il calcio, le ragazze bionde e i videogiochi. Insomma, se lo avessi perso in una folla di fratelli maggiori, avrei fatto fatica a ritrovarlo. Si assomigliano tutti, a quell'età, e proprio per questo io decisi che avrei impiegato il mio tempo per essere diverso.

Quando ho preso questa decisione? Era il 4 luglio 1984, il giorno in cui ho incontrato il mio eroe.

4 luglio 1984

«Oh mio Dio! Ma quello è Maradona!»

Mio fratello ha iniziato a strillare come un pazzo.

Eravamo all'aeroporto di Barcellona, al gate di imbarco in attesa del nostro volo. Con la sua abituale efficienza, mia madre aveva trasformato quella che doveva essere una normale puntualità in un anticipo eccessivo. Come al solito. Io stavo seduto e avevo un braccio legato al collo. Il gesso era pesante e mi rendeva lento, trasformandomi in una facile preda degli scherzi di mio fratello. Più del solito.

Sono un bambino "serio". Dopo aver sentito centinaia di volte questa definizione da parte dei miei genitori per giustificare la mia voglia di limitare i contatti con gli altri, ho deciso che anch'io mi sarei definito così. Non strano, non asociale, non diversamente interessato agli altri. Solo serio. Una grande qualità!

Così quando gli ho sentito urlare quella frase mi si è aperto il cuore. Il calcio non era la mia passione principale, anzi non lo trovavo per niente interessante. Però Maradona era Maradona e su questo non si discuteva. Il più grande calciatore del momento che, guarda caso, stava proprio per cominciare a giocare in Italia, a Napoli.

Se non altro, la sua presenza nello stesso posto in cui ci trovavamo anche noi avrebbe neutralizzato mio fratello per un po', regalandomi la meritata tranquillità.

«Non ci sono voli per Napoli!» ha gridato con un'espressione che gli deformava il viso, dopo aver controllato i monitor delle partenze.

«E allora?»

«Ma come? Non li leggi i giornali?»

No, non li leggo i giornali e da quello che so non lo fai nemmeno tu!, ho pensato.

Non ho risposto, sperando che mi lasciasse in pace, ma non ha funzionato.

«Domani ci sarà la presentazione del *Pibe de Oro* allo stadio San Paolo di Napoli!» ha annunciato dando un calcio a un bicchiere di plastica abbandonato sul pavimento e correndo in tondo davanti alla sua personale tifoseria: io e la mamma.

«Quindi?» ho mormorato.

«Quindi se non ci sono voli per Napoli, vuol dire che prenderà quello per Roma… insieme a noi!»

La mamma si è irrigidita. Sapevo a cosa stava pensando. Confusione, ritardo e pericolo generale. Volare insieme a un personaggio così famoso la metteva a disagio. I suoi occhi hanno iniziato a muoversi avanti e indietro alla ricerca di una qualsiasi conferma, mentre mio fratello saltellava come un clown gridando: «Stesso volo, io e Maradona… Maradona e io… sullo stesso volo…».

«Olè!» ho aggiunto, nella speranza che la finisse lì.

Ero arrabbiato con lui e il motivo riguardava proprio il mio braccio legato al collo.

Siamo venuti a Barcellona perché Filippo, ormai diplomato, ha deciso di iscriversi all'università qui. Il fatto che si volesse trasferire in un'altra città per studiare le stesse cose che avrebbe potuto imparare a dieci minuti da casa a me sembrava una vera genialata. Lo avrei visto solo a Natale e a Pasqua e quando ho realizzato la qualità di vita che questo mi avrebbe regalato… non ho esultato di proposito per scongiurare l'ipotesi che cambiasse idea. Mai mostrarsi troppo entusiasti. Era la mia regola.

Così, finita la scuola, siamo partiti, io, la mamma e Filippo, alla ricerca di una sistemazione per lui che non fosse troppo scomoda con l'università. La mamma sapeva, esattamente come me, che il rischio che lui passasse le sue mattinate a dormire era elevatissimo e per questo motivo continuava a ripetere che se alla fine del primo anno non avesse dato almeno cinque esami, sarebbe tornato a casa di corsa. Le conseguenze di quelle minacce? Filippo faceva spallucce, mentre io rabbrividivo al solo pensiero.

Per la cronaca, io suono il pianoforte. Ho cominciato a sei anni, quando mio nonno mi ha fatto sedere sulle sue ginocchia e per la prima volta schiacciare con un dito un tasto bianco. Pochi minuti dopo ho avvertito una scossa elettrica in tutto il corpo. Ho appoggiato le dita sui tasti ed è stato come se tutto quello che avevo intorno, compresa la mamma, fosse svanito. Sei anni dopo ho preso la decisione più importante della mia esistenza: dopo le medie avrei frequentato il conservatorio. Nessun dubbio e nessuna obiezione. La mamma e il papà ne erano felici. Ma poi...

Un giorno, dopo aver passeggiato a lungo nel *Bar-*

rio Gótico ed esserci ingozzati di *tapas* e *jamón serrano*, mio fratello mi ha rotto la mano destra. Non posso dire che l'abbia fatto apposta, ma sulle sue intenzioni potremmo discutere a lungo.

La mamma aveva letto su un volantino trovato in hotel di una pista di pattinaggio sul ghiaccio a pochi passi. Sempre organizzata, come al solito aveva messo in valigia cappello e giacca per ogni evenienza, quindi eravamo attrezzati. E ci ha portati lì, per ammazzare il tempo. Lei avrebbe potuto stare seduta sugli spalti a leggere un libro e a godersi il fresco, limitandosi a sbirciare ogni tanto che fossimo ancora vivi. Mio fratello ha iniziato a girarmi intorno. L'avevo intuito appena messo piede in pista. Non c'era molta gente, non c'erano ragazze con cui fare lo stupido né suoi coetanei da osservare. Ma c'ero io. Ho resistito appena qualche minuto, poi, proprio mentre cercavo di raggiungere la mamma con un'andatura goffa e traballante, lui mi ha preso per la maglia. Il peso del mio corpo si è disorientato, come se fosse convinto di essere su una gamba e scoprisse di essere sull'altra, e sono caduto. Sulla mano. La mia.

Sono finito lungo disteso sul ghiaccio, in preda a un dolore lancinante, da togliere il fiato, anche se non proprio tutto, perché mi sono messo a gridare. La mamma si è precipitata e vedendo le mie dita in una posizione innaturale e, soprattutto, incapaci di muoversi, ha chiamato un taxi per andare al pronto soccorso.

Quella sera saremmo dovuti rientrare in Italia ma i nostri piani sono stati stravolti dal mio incidente.

È stato quindi per puro caso che il 4 luglio 1984 siamo saliti su quell'aereo, dove mio fratello, come se non si fosse già divertito abbastanza, avrebbe incontrato il suo eroe. E io il mio.

Posso raccontarti una storia?

«Non credo che una persona così famosa faccia la fila insieme agli altri comuni mortali...» ha osservato mia madre, in attesa di salire sull'aereo, mentre Filippo continuava a saltellare cercando di scorgere il suo idolo.

«Già, l'avranno fatto accomodare in qualche sala VIP!» ha risposto mio fratello, un po' deluso.

Quando siamo arrivati davanti alla hostess che strappava i biglietti e controllava i documenti, Filippo non ha saputo resistere.

«Diego Armando Maradona sarà sul nostro volo, vero?»

«Non possiamo dare informazioni sui passeggeri!»

l'ha zittito la signora in divisa, senza nemmeno preoccuparsi di alzare lo sguardo.

Ci siamo avviati a piccoli gruppi lungo un corridoio, una specie di braccio allungabile che conduceva al portellone anteriore del velivolo. Con la mano sana ho sfilato i nostri biglietti dalla borsa della mamma per controllare i posti a sedere. Dovevo mescolarli in modo da non essere costretto a subire la vicinanza di mio fratello per tutto il viaggio.

Posti 15 C, 15 D e 15 E. Ho tenuto il C, sperando che ci fosse almeno un corridoio tra noi.

La mamma ha sistemato il nostro bagaglio a mano nella cappelliera e si è seduta vicino a Filippo.

«Alzati» mi ha ordinato mio fratello, guardandomi dall'alto.

«No!»

«Voglio starci io lì...»

«Non se ne parla, sono arrivato prima io» ho risposto tenendomi la mano ingessata per paura che mi facesse male.

«Togliti dai piedi, poppante!»

«Ragazzi, smettetela immediatamente!» è intervenuta la mamma, con quel pizzico di autorità che nessuno mai percepisce.

«Perché non vieni vicino a me? Il posto accanto al

finestrino sarà vuoto, mia moglie non è potuta partire con me...» ha detto un uomo anziano seduto proprio dietro di noi, indicandomi il sedile.

Chi poteva essere? Un angelo mandato dal Paradiso del calcio per bilanciare il regalo fatto a mio fratello?

«Signora, stia tranquilla. Sono un medico e posso controllare che suo figlio non faccia movimenti inopportuni per la mano...»

Mi sono girato a guardare la mamma. Lei, un po' imbarazzata, ha annuito. Mi sono alzato e sono andato a conquistarmi quel posto, decisamente migliore e accanto al mio nuovo amico. Filippo non mi poteva raggiungere.

«Grazie» gli ho detto appena mi sono seduto accanto a lui. Sembrava Babbo Natale. Aveva i capelli bianchi come la neve e l'aria simpatica.

«Qui non sarai disturbato...» mi ha detto sottovoce.

Ho sorriso. Che strano incontrare qualcuno che sembra capirti al volo.

Mi piaceva.

«Come ti chiami?» mi ha chiesto.

«Luca.»

«Piacere Luca, io sono... Bruce... Parli inglese?»

«Un po'...»

«Anch'io parlo un po' l'italiano... ci capiremo...»

Ci siamo presentati toccandoci la mano sinistra.

«Cos'hai fatto alla mano?»

«Mio fratello mi ha fatto cadere. Due dita rotte...»

«Oh... presto starai bene...»

«Lo spero. Io suono il pianoforte!» ho detto con orgoglio.

«Davvero? Che cosa meravigliosa...»

«Voglio andare al conservatorio e imparare le *Variazioni Goldberg*. È il mio sogno, ma ho anche un po' paura. La dottoressa ha detto che ci metterò parecchio per tornare a suonare come prima...» ho risposto, cercando di nascondere tutta la mia preoccupazione.

L'uomo anziano seduto accanto a me ha fatto un sorriso leggero, come se fosse un nonno desideroso di abbracciare suo nipote.

«Andrà tutto per il meglio. Basta che tu lo voglia con tutto te stesso...»

«Davvero? Basta quello?»

«Ne sono certo!»

«Lo spero tanto...»

«Posso raccontarti una storia?»

«Quale?»

«È la storia di un ragazzino nato cieco da un occhio che ha salvato il mondo...»

«Un supereroe?»

«No, solo un ragazzo come te...»

«Come me?»

Ero stregato. Sul suo viso è comparsa un'espressione che non avevo mai visto prima, come se stesse per fare un incantesimo.

Si chiamava Albert...

«Si chiamava Albert ed era nato a Białystok, nel 1906.»

«E dov'è?»

«In Polonia, ma a quei tempi era ancora sotto il dominio dell'Impero Russo… Białystok era una città bellissima, piena di cose da visitare e di storie da ricordare, ma il suo destino non è mai stato dei più facili…»

«Cos'è successo?»

«Quando Albert era ancora un bambino, durante la Prima guerra mondiale, esattamente il 20 aprile 1915, Białystok fu bombardata dall'esercito tedesco, che la occupò per diversi mesi. Quello fu solo l'inizio di una lunga serie di anni molto difficili per tante famiglie che ci abitavano. La guerra è l'esperienza peggiore che si possa vivere. Non porta mai nulla di buono...»

Mi sono allacciato le cinture di sicurezza e ho continuato a guardare il mio vicino di posto, in attesa che continuasse.

«Tu sai che cos'è l'antisemitismo? L'hai già studiato a scuola?»

«Ha a che fare con gli ebrei e con Hitler?»

«Esatto. È proprio l'odio contro il popolo ebraico e Hitler ne ha messo in piedi l'espressione più orrenda ordinando il loro sterminio. Beh, il nostro Albert era ebreo...»

«Davvero?»

«In realtà, a Białystok la maggior parte delle famiglie erano ebree e gli episodi di violenza che dovettero subire prima dall'esercito russo e poi da quello tedesco durante la Prima guerra mondiale furono innumerevoli. Saccheggiavano le case, rubavano i risparmi e se ti ribellavi o cercavi di difenderti, rischiavi di essere ucciso...»

«Ma perché?»

«Questa è una bella domanda, ma come a tutte le domande intelligenti è difficile trovare una risposta... bisognerebbe capire cos'è l'odio e da dove ha origine...»

«La nostra prof ci ha spiegato che Hitler era un uomo

crudele, che pensava di poter conquistare il mondo con la violenza...»

«È vero, ma le persecuzioni subite dagli ebrei hanno origini antiche...»

«È così ingiusto.»

«Lo disse anche Albert un giorno tornando da scuola. Lui e un suo compagno erano stati presi a sassate da un gruppo di ragazzini che li avevano chiamati "sporchi ebrei". Albert che, come ti ho detto, era nato cieco dall'occhio destro, fu ferito vicino all'occhio sano.»

Mi sono portato la mano libera alla bocca. La testa di mia madre ha fatto capolino per controllare che fosse tutto a posto. L'uomo le ha sorriso e lei ha contraccambiato con educazione.

L'aereo era ancora fermo, come se fosse in attesa di qualcuno o di qualcosa. Le prime file erano ancora tutte vuote e mio fratello stava con un ginocchio sul sedile nella speranza di veder comparire il suo eroe.

Io preferivo sapere che ne era stato di Albert.

«E poi, cos'è successo?»

«Quando arrivò a casa sanguinante e raccontò l'accaduto, mamma Tillie si preoccupò molto. Lo medicò e lo coccolò. Però, sempre quella sera, subito dopo aver cenato e aspettato che Albert prendesse sonno, decise di parlare con suo marito. "Il mondo sta cambiando, Jacob, e in un modo che mi spaventa. Quelli come noi sono condannati a soffrire e ho paura che quanto è capitato oggi a nostro figlio sia destinato a ripetersi sempre più spesso."

«"Non esagerare, quella è stata solo una ragazzata, non dovremmo darci troppo peso…" tagliò corto Jacob.

«Mamma Tillie aveva abbassato la testa e si era messa a sparecchiare la tavola contrariata. Quella era diventata una società invivibile: soldati che marciavano in uniforme e minacciavano chiunque si trovasse lungo il loro cammino; ragazzi che se ne andavano in giro a intimorire le famiglie solo perché di religione ebraica e poi c'erano i treni…»

«Quali treni?» ho domandato.

«Si diceva che alcune persone che avevano osato ribellarsi alle perquisizioni fossero state caricate su treni diretti verso mete sconosciute…»

«Ed è successo anche a loro?»

«No, per fortuna. Tillie convinse il marito ad andarsene da lì… Gli propose di raggiungere la sorella in America, ma Jacob aveva altre preoccupazioni. Era un artigiano molto conosciuto in città. Aveva le mani d'oro, dicevano i suoi clienti, e l'idea di lasciare tutto per trasferirsi dall'altra parte del mondo lo spaventava. Cos'avrebbe fatto? Sarebbe riuscito a lavorare in un altro paese? Avrebbe potuto sostenere la sua famiglia anche laggiù? Ma Tillie fu irremovibile. Lei vedeva altro. Vedeva sassi lanciati contro Albert, uomini armati dappertutto e una serenità che non esisteva più.»

«E come andò a finire?»

«Era difficile tenere testa a mamma Tillie!»

E così partirono.

Tutta colpa di un libro

La mia mente era in casa di Albert, quando dei rumori hanno attirato la nostra attenzione. Un gruppo di persone vestite di nero è entrato in aereo, accompagnato da grida incomprensibili. Se avesse potuto, mio fratello sarebbe volato fin lì. Si è alzato di scatto per avvicinarsi alle prime file quando un assistente di volo l'ha fermato, ordinandogli di tornare al suo posto. Di lì a qualche minuto, ecco comparire il più grande calciatore del mondo! È rimasto un attimo in piedi e ha salutato tutti i suoi compagni di viaggio con la mano. Un boato mezzo italiano e mezzo spagnolo mi è passato sopra la testa.

Ho guardato Filippo. Era paonazzo per l'emozione. Sventolava un pezzo di carta e una penna, nella speranza di riuscire a ottenere l'autografo di Diego Armando Maradona. Sembrava un bambino capriccioso.

Mi sono voltato verso il mio vicino e gli ho sorriso. Avevo voglia di sapere cosa ne era stato di Albert e della sua famiglia.

«Sì, certo… vediamo, dove eravamo rimasti?»

«Tillie convince Jacob a partire…» ho risposto prontamente, come se fossi interrogato.

«Emigrarono in America, dove viveva la sorella di Jacob, la zia di Albert. Era il 1921 e per raggiungere New York fu necessario un viaggio in nave che durò più di un mese…»

«Un mese? Ma è tantissimo…» ho esclamato, saltando sul sedile e pensando all'incubo di rimanere per un tempo così lungo insieme a mio fratello in mezzo al mare.

«Esatto! Ma parliamo di tanti anni fa… oggi è molto diverso, possiamo volare da Barcellona a Roma in meno di due ore…»

«Solo se non viaggi insieme a Maradona!» ho sbuffato.

Bruce è scoppiato a ridere e mi ha fatto una carezza sulla testa.

Il mio amico si è appoggiato allo schienale e tenendo gli occhi chiusi ha iniziato a descrivere la nave, come se la stesse cercando nei suoi ricordi. Si vede meglio a occhi chiusi, l'ho imparato con la musica. Lo faccio spesso anch'io. Seguo le note come se le vedessi sul pentagramma e poi le lascio volare via. Mi portano lontano, tra stelle più luminose, sopra le montagne più alte o nei mari più profondi ma poi, arrivano sempre a casa del nonno, dove ho i ricordi più belli.

«Era lunga almeno cinque volte questo aereo e aveva otto ponti. Un grande salone centrale che occupava due piani e ampie scale che ti portavano fino in cielo. Sul ponte principale c'erano quattro grosse ciminiere che buttavano fuori il fumo più nero che Albert avesse mai visto. Fu lì che fece il suo primo incontro importante.»

«Con chi?»

«Un signore che leggeva questo libro…» mi rispose tirando fuori dalla borsa un vecchio volume ormai logoro. Non ne avevo mai visti di così rovinati. L'ho preso in mano. «È in inglese ma, se lo conosci un po' come hai detto, sicuro che capisci di cosa parla.»

Microbe Hunters: ho letto il titolo ad alta voce e ho pensato alla sua traduzione, *I cacciatori di microbi*, mentre le hostess si posizionavano al centro del corridoio e iniziavano a indicarci cosa fare in caso qualcosa andasse storto.

«Albert notò che quell'uomo si sedeva a leggere questo libro ogni giorno e siccome era piuttosto curioso si avvicinò a lui.»

«È un libro di scienze?» ho chiesto.

«Sì! Racconta la vita di uomini straordinari. Tutti scienziati che hanno dedicato l'esistenza a studiare malattie terribili per cercarne le cure...»

Mi sono venuti i brividi. Ho guardato la fasciatura intorno al mio braccio e ho sospirato.

«Quell'uomo lesse ad Albert ogni giorno la biografia di uno scienziato diverso. C'erano Lazzaro Spallanzani, il medico che nel 1777 ottenne la prima fecondazione artificiale; Robert Koch, premio Nobel per la medicina per aver identificato il batterio che causa la tubercolosi, una malattia infettiva che attacca soprattutto i polmoni; Louis Pasteur, i cui studi furono fondamentali per sconfiggere malattie come il colera, il carbonchio e la rabbia; Ronald Ross, che scoprì la causa scatenante della malaria, e molti altri. Infine William Park, l'uomo che aveva sconfitto la difterite.»

Ero sbalordito. Non avevo mai sentito parlare di tante malattie tutte insieme.

«Hanno tutte dei nomi orribili...» ho commentato.

«Sì, hai proprio ragione. Magari li scelgono proprio per invogliare gli scienziati a toglierle di mezzo...»

«È così anche nei cartoni animati. I buoni devono far fuori Skeletor, Cobra Commander o Serpentor...»

«E ci riescono?»

«Certo!» ho esultato.

«Dopo aver letto la vita di quegli uomini, capì che era esattamente quello che voleva fare lui...»

«Diventare uno scienziato? E come si fa?»

«Bisogna laurearsi in una materia scientifica come medicina, chimica, biologia o fisica e avere tanta curiosità e passione. Albert ne aveva in abbondanza, e lo disse ai suoi genitori. Una sera, ancora sulla nave, rientrando in cabina parlò con loro, però...»

Mi sono irrigidito. Quel però non prometteva nulla di buono.

«C'è una cosa che devi sapere. Lo zio di Albert che li aspettava in America era diventato un importante dentista della città di New York e in una lunga lettera che aveva scritto a Jacob prima che partissero aveva promesso di occuparsi degli studi di Albert, ma soltanto se avesse seguito le sue orme... Tillie e Jacob non chiusero occhio e discussero a lungo, quella notte, perché purtroppo sapevano che non avrebbero mai potuto pagare gli studi di medicina ad Albert.»

«Oh, no! Ma lui non voleva diventare dentista. E come fecero a dirglielo?»

Non riuscivo neppure a immaginare che due genitori potessero impedire a un figlio di fare ciò che desiderava davvero...

Il microscopio elettronico

«Albert capì la situazione e seguì le indicazioni di suo zio. Si iscrisse all'università per diventare dentista!»

«No!» ho gridato così forte che la hostess si è girata di scatto verso di me e mia madre si è alzata, nonostante non potesse ancora farlo, per controllare che fosse tutto a posto.

Bruce accanto a me si è messo a ridere.

«Attiri l'attenzione più di Maradona!» mi ha detto, dopo che la hostess e la mamma si sono tranquillizzate.

«Scherzavo, non diventò mai dentista. Dopo un anno esatto dall'inizio dell'università, Tillie e Jacob lo raggiunsero a New York, a casa del famoso zio che si era offerto persino di ospitarlo perché non perdesse tempo a fare avanti e indietro. Entrambi i genitori avevano trovato lavoro in una fabbrica vicino a Paterson, la città del New Jersey in cui si erano trasferiti, e avevano risparmiato per un anno intero. E avevano messo da parte abbastanza da riuscire a pagare la retta per la facoltà di Medicina.»

«Oh che bello! Albert ne sarà stato felicissimo…»

«Lui sì, ma lo zio si infuriò molto e lo cacciò di casa, così Albert dovette iniziare a fare il pendolare. Ogni mattina saliva sul treno e andava all'università. Fu molto difficile, pesante, ma anche molto bello. E vuoi sapere chi gli venne in aiuto?»

«Chi?»

«William Park! Il profitto e l'entusiasmo di Albert furono tali che il suo professore di Microbiologia, Park appunto, gli procurò una borsa di studio e una piccola stanza presso l'Harlem Hospital, in cambio di qualche lavoretto presso il laboratorio chimico dell'ospedale.»

«Park è dentro il libro… è quello che ha sconfitto la difterite!» ho esclamato, sicuro di ciò che dicevo perché sapevo di potermi fidare della mia memoria.

«Esatto, proprio lui! Sai cos'è la difterite?»

Ho scrollato la testa. Era già tanto averne pronunciato bene il nome.

«È una malattia molto contagiosa causata da un batterio che può attaccare il cuore o il cervello portando alla paralisi e quindi alla morte, ma oggi, grazie agli studi del professor Park, possiamo curarla...»

«E come ha fatto?»

Bruce si è voltato a guardarmi, come se non si aspettasse quella domanda e gli facesse piacere rispondermi.

«Allora Park creò il primo laboratorio di diagnosi batteriologica e si batté perché i vaccini fossero considerati, da tutti gli studiosi, la strada migliore per prevenire malattie di origine batterica come la difterite. In particolare, riuscì a dimostrare che il batterio che provoca la difterite persisteva nella gola delle persone anche dopo la guarigione. Sai cosa significa questo?»

«Che potevano continuare a contagiare gli altri?» ho risposto. Lo avevo studiato a scuola quando la professoressa di scienze ci aveva parlato delle malattie infettive come la varicella.

«Bravo! Esatto. Ma negli anni Trenta questa affermazione fece scalpore e affascinò il nostro Albert al punto che, una volta laureato, chiese di poter lavorare proprio nel laboratorio creato dal suo professore.»

«È diventato medico! Ha realizzato il suo sogno… lo sapevo!» ho esultato, mentre l'aereo aereo si alzava nel cielo.

«Il giorno della laurea, Jacob e Tillie gli comprarono un microscopio» ha aggiunto Bruce.

«Ci avrei giurato!» ho detto. Era un po' come se quell'Albert non fosse poi così lontano da me. Ho pensato che se fossimo nati nello stesso anno saremmo diventati ottimi amici.

«E non era un microscopio qualsiasi. Era elettronico. Ernst Ruska e Max Knoll l'avevano appena inventato e in giro ce n'erano davvero pochi. Un vero sogno per un aspirante scienziato. E sai cosa fece per prima cosa Albert? Si bucò un dito con un ago che mamma Tillie usava per cucire, depositò una goccia del proprio sangue su un vetrino, ci posizionò sopra il secondo vetrino facendo attenzione che la goccia strisciasse fino a occupare metà superficie e lo immerse in un recipiente contenente alcool etilico al 95 per cento per qualche minuto. Questo operazione si chiama fissaggio ed è molto importante: se venisse tralasciata, le cellule scoppierebbero a causa del cosiddetto shock ipotonico, causato dal contatto diretto con il colorante.» Ho sgranato gli occhi, un po' confuso da tutte queste parole nuove, e ho provato a immaginarmi una cellula che scoppia.

«Dopo aver fissato il sangue, lo colorò con del blu di metilene e lo analizzò. Il microscopio elettronico ha un potere d'ingrandimento molto più elevato di quello ottico. Sai perché?»

Ho appoggiato la testa al finestrino. Non riuscivo a staccare gli occhi dalla bocca di quell'uomo. Ogni parola, ogni gesto sembravano magici. Ho pensato che non mi sarei alzato da lì nemmeno se in quel momento, seduto nelle prime file, ci fosse stato il mitico Amadeus Mozart. Sarei rimasto lì con Albert e Bruce.

«Il microscopio elettronico non sfrutta la luce, come fa quello ottico, ma gli elettroni.»

«Che differenza c'è?»

«Il potere d'ingrandimento di un microscopio elettronico è maggiore e così quando Albert lo puntò su quella goccia di sangue rimase sbalordito. Riuscì a distinguere in modo nitido i globuli rossi, piccoli dischi senza nucleo, da quelli bianchi più tondeggianti e dotati di un grosso nucleo. Quella fu una giornata importante per lui. Finalmente avrebbe potuto avere la dimostrazione che tutto ciò che aveva studiato era vero. Nei giorni successivi mise sotto osservazione qualsiasi cosa gli capitasse di trovare. Riuscì a distinguere perfettamente le cellule che componevano una foglia di mais. Erano grosse bolle che, come dicevano i suoi libri, erano diverse da quelle che poteva osservare in un pezzetto della sua pelle. Fu lì che, mentre il mondo diventava enorme sotto i suoi occhi, capì che le cose invisibili non sempre fanno paura.» Bruce mi ha spiegato tutto gesticolando per mimare ogni passaggio, mentre la hostess passava a chiedere se desiderassimo qualcosa da bere.

Io ho preso una Coca-Cola e Bruce ha ordinato un tè.

Ho aspettato un po', sperando che il mio vicino continuasse a raccontarmi di Albert e lui, come se mi stesse leggendo nel pensiero, ha proseguito.

«Albert finì per diventare l'assistente del professor Park!»

«Addirittura!» ho esclamato sputacchiando un po' di bibita sui pantaloni.

«Proprio così. Si trasferì a Cincinnati, nell'Ohio, dove Park aveva inaugurato il nuovo laboratorio, e iniziò l'avventura che avrebbe cambiato il mondo. E vuoi sapere in che modo riuscì ad arrivare fino a lì?»

«Sono tutto orecchie» ho affermato appoggiando il bicchiere di plastica sul tavolino davanti a me per evitare altri danni.

E così, mentre mio fratello e decine di altri passeggeri cercavano di ottenere l'autografo di Diego Armando Maradona, mia madre sfogliava una rivista di viaggi e l'aereo conquistava il cielo, io ho ascoltato la parte più emozionante della storia più bella del mondo, la storia di Albert Sabin, l'uomo che salvò il mondo.

Il destino, a volte...

«Fu un colpo di fortuna. Albert si era laureato brillantemente nel giugno del 1931 e grazie al suo eccezionale curriculum ottenne uno stage presso il prestigioso Bellevue di New York, che sarebbe iniziato però solo sei mesi dopo. Così, essendo un giovane davvero volenteroso, decise nel frattempo di prestare servizio gratuito presso il laboratorio del professor Park. Sarebbe stato un ulteriore impegno economico per la sua famiglia, ma gli avrebbe permesso di imparare ancora molto. Ne valeva la pena.

«Il destino volle che proprio in quei mesi scoppiasse una vera e propria epidemia di quella che venne chiamata "poliomielite", una malattia, causata da un virus, tra le più terribili che la storia dell'uomo ricordi e che procurava febbri improvvise accompagnate da terribili dolori ai muscoli che iniziavano a paralizzarsi.

«La fortuna, quella imprevedibile forza che può plasmare il destino di molti, fu che Albert Sabin fosse lì, nel laboratorio più importante del mondo, sotto l'occhio vigile del massimo esperto in materia.

«In realtà, Albert non aveva mai lavorato con i virus, ma questo non lo spaventò e così i due scienziati si misero al lavoro.

«I guai iniziarono subito. Pochi mesi prima, il dottor Claus Jungeblut, docente di Batteriologia presso la prestigiosa Columbia University, aveva pubblicato un accurato lavoro scientifico dove sosteneva di aver messo a punto un test cutaneo in grado di distinguere le scimmie resistenti al virus da quelle a rischio di contrazione. Se lo stesso test fosse stato replicabile anche sull'uomo, avrebbe aiutato a comprendere meglio come funzionava il virus della poliomielite. Park ordinò ad Albert di ripetere tutti gli esperimenti di Jungeblut.

«"Dobbiamo essere assolutamente certi che sia possibile. Ricordati sempre che nel nostro mondo tutto deve essere riproducibile da qualsiasi scienziato in qualsiasi laboratorio. Se non accade, l'esperimento non vale niente! Dai, mettiti al lavoro!"

«Park non poteva certo prevedere ciò che sarebbe accaduto. Era così convinto che i risultati sarebbero stati identici a quelli del suo amico Claus che quando Albert gli riferì di non poter confermare l'esperimento, si precipitò in laboratorio per vedere con i suoi occhi.

«"Sei proprio sicuro? Sai cosa significa smentire un grande scienziato davanti al mondo intero?"

«"Io non ho intenzione di screditarlo. Credo che lui abbia compiuto un errore di valutazione che può essere corretto. Voglio parlargli e mostrargli il mio lavoro."

«Quello fu solo un primo passo, che però la diceva lunga su Albert e sul suo intuito. Il dottor Claus Jungeblut rimase molto colpito dall'atteggiamento di quel giovane ricercatore. Il fatto che avesse deciso di non ufficializzare una smentita pubblica gli aveva risparmiato una pessima figura.

«Claus accettò di incontrare Albert. Allungò una mano verso di lui e disse: "Solo i grandi uomini possono diventare grandi scienziati, ma la nostra grandezza si misura sempre dalle cose più piccole. Grazie Albert".»

Una brutta notizia

Ricordo solo l'urlo che ho lanciato.

La mamma si è buttata in mezzo alla strada e ha fermato un taxi che passava, mentre mio fratello mi ha aiutato ad alzarmi e mi ha tolto i pattini.

«Ci porti in ospedale» ha chiesto la mamma.

Il taxista ha capito l'urgenza ed è partito a tutta velocità. Dopo pochi minuti ci ha scaricati nel piazzale del Pronto Soccorso del Hospital Universitari Mútua Terrassa.

Appena arrivati, la mamma è corsa a chiamare aiuto e in un battibaleno mi sono ritrovato su una sedia a rotelle spinta da un barelliere, che mi ha portato dentro.

La mano era già molto gonfia e il dolore mi pungeva fino alla radice dei denti. Mi hanno fatto un sacco di domande parlando in catalano, ma ha risposto mia madre, perché io non riuscivo nemmeno a tenere gli occhi aperti.

Non so quanto tempo sia passato, forse un paio d'ore, o forse sono sprofondato nel mio dolore e sono svenuto.

Quando ho riaperto gli occhi, davanti a me c'era una donna dai capelli scuri legati in una coda. Aveva il camice e un portamento sicuro. Le infermiere la guardavano in silenzio. Lei mi ha esaminato la mano e ha detto qualcosa che ovviamente non ho capito. L'infermiera più giovane è uscita alla svelta dall'ambulatorio e questo mi ha fatto capire che doveva trattarsi di qualcosa d'importante.

«Come ti chiami?» mi ha chiesto.

«Luca...» ho balbettato.

«Io sono la dottoressa Martínez» mi ha detto in un italiano perfetto. «Sono contenta di conoscerti, anche se in un'occasione diversa magari sarebbe stato meglio. Comunque, purtroppo hai una brutta frattura. Ora ti faccio somministrare qualcosa per alleviare un po' il dolore, poi bisognerà fare una serie di accertamenti, anche se posso già dirti che probabilmente sarà necessario un intervento...»

«Un'operazione?» ho risposto con un filo di voce, sforzandomi di non piangere. La dottoressa mi ha guardato perplessa, mia mamma si è affrettata a spiegarle com'era andata e lei mi ha fatto un sorriso e mi ha stretto l'altra mano nella sua. Poco prima che sparisse dietro la tenda che isolava il lettino su cui mi avevano fatto sdraiare, l'ho fermata.

«Scusi, dottoressa, potrò ancora suonare il pianoforte?» le ho chiesto.

Mi ha guardato con l'espressione di chi non si aspettava una simile domanda e non ha detto ciò che speravo.

Nessuna frase tranquillizzante da film, tipo: «Non preoccuparti», «Sei in ottime mani», «Presto tornerai a suonare Chopin meglio di prima». Si è limitata a dire che prima di azzardare qualsiasi previsione voleva essere certa delle condizioni delle mie ossa.

Ma che razza di risposta era?

Ho guardato mamma che ha cercato di sdrammatizzare dicendomi che un atteggiamento prudente era un ottimo biglietto da visita per un medico.

«Vuol dire che è scrupolosa. Ora vado ad avvertire papà…» ha aggiunto, prima di mollarmi alle infermiere, che nel frattempo mi avevano trovato un letto vero in una camera vera, e andare a telefonare a mio padre.

Mio fratello, seduto in un angolo, non mi ha rivolto la parola. Poco dopo, grazie al cielo, la mamma gli ha messo in mano un po' di soldi e gli ha suggerito di andare a fare un giro.

Io mi sono abbandonato sul letto e sono rimasto immobile a guardare il soffitto.

Quando si perde un amico

Era il 22 ottobre 1932, fuori il sole splendeva alto nel cielo mentre all'interno del laboratorio si respiravano tensione e ansia. I morti a causa dell'epidemia di poliomielite non accennavano a diminuire, e studenti e scienziati cercavano di portare avanti il proprio lavoro al meglio sotto il vigile controllo del professor Park.

Proprio a pochi metri da Albert, un suo collega, il dottor William Brebner, fu morso da una delle scimmie che stava trattando per un esperimento. Nel giro di pochissimo tempo lo stato di salute di William precipitò. La sua pelle si coprì di un brutto sfogo violaceo e la temperatura aumentò. Il ricovero in ospedale non servì a salvarlo. Il giovane amico di Albert morì per insufficienza respiratoria dopo venti lunghi giorni di agonia.

Erano tutti increduli. Quello che era accaduto a William sarebbe potuto succedere a uno chiunque di loro e questo contribuì ad aumentare lo sconforto.

Albert andò a parlare con Park.

«Voglio riuscire a determinare la causa della morte di William!»

«Cosa pensi sia stato a ucciderlo in quel modo?»

«So per certo che non aveva ancora iniziato l'esperimento, perciò è molto difficile che la scimmia fosse già infettata dal virus della poliomielite. Ho bisogno di alcuni campioni dei tessuti autoptici di Brebner! Me li procuri, professore, la prego…»

Park ottenne il permesso di prelevare i campioni dal cadavere del suo assistente e li fece consegnare ad Albert, che ci lavorò giorno e notte.

Si decideva a lasciare il laboratorio solo quando il sonno era tale da impedirgli di mettere a fuoco correttamente le immagini al microscopio con il suo unico occhio vedente. Una sera cadde dallo sgabello per la stanchezza. Si stese su una poltrona per riposare qualche ora, ma prima che fosse l'alba si era già rimesso al lavoro.

Esattamente un anno dopo, il "Journal of Experimental Medicine" pubblicava un importante articolo con il resoconto dettagliato di tutto il lavoro svolto per isolare il virus che aveva ucciso William. L'autore del prezioso pezzo, Albert Sabin, chiamò quell'agente così pericoloso *Virus Brebner* (Virus B) e lo affiliò alla famiglia degli *Alfa Herpes Virus*, la stessa a cui appartiene anche la ben nota varicella.

Solo allora Albert riuscì ad andare sulla tomba dell'amico. Si sedette a guardare il nome inciso sul marmo e le date, che indicavano quanto fosse giovane William, e quanto fosse stata breve la sua vita. Fu pervaso da un senso di impotenza, lo stesso che provi quando arrivi troppo tardi.

Fu lì che avvertì, per la prima volta, il desiderio travolgente di fare qualcosa che potesse salvare la vita a qualcuno.

Novità a scuola

Frattura obliqua della falange intermedia e frattura dell'articolazione interfalangea dorsale. La diagnosi fu terribile da ascoltare.

«La dottoressa Martínez ha fissato l'intervento per domani mattina. Sarai il primo a entrare in sala operatoria» ha annunciato l'infermiera.

La mamma ha trattenuto leggermente il fiato e poi mi ha detto che sarebbe corsa in albergo a prendermi un po' di cose.

Io non ho risposto. Mi sono sdraiato con gli occhi fissi sul soffitto.

Avevo bisogno di non pensare a quelle parole. Dorsale, obliqua e intermedia nella stessa frase non le ave-

vo mai sentite e sinceramente l'effetto non mi piaceva neanche un po'.

Avere una mano immobilizzata è una rottura perché non puoi fare praticamente niente. Non puoi tenere in mano un giornalino o un libro e tanto meno
girarti su un fianco o a pancia in giù, e visto che nella
stanza non c'è nemmeno la televisione le cose da fare
restano solo due.

Andare a fare un giro, cosa che ho dovuto subito
escludere perché doveva venire l'infermiera a farmi
un prelievo e a spiegarmi cosa succederà domani mattina, e pensare.

E il pensiero è sempre il solito. Licia.

Quando è arrivata nella nostra classe, l'anno era iniziato da quattro mesi ed essendo già in seconda me-
dia, ci conoscevamo tutti piuttosto bene.

Licia aveva i capelli scuri e cortissimi. Era l'unica della classe a portarli così. La professoressa di italiano ce
l'aveva presentata e l'aveva fatta sedere nell'unico posto vuoto, accanto a me.

Io l'ho guardata un po'.

Se fossi stato un animale avrei potuto annusarla, ma
visto che così non è, mi sono limitato a osservarla at-
tentamente da vicino.

Alla fine della lezione di inglese, dopo esattamente tre ore, ho saputo che era una nuotatrice e questo spiegava il taglio alla maschietta.

«Se ti alleni tutti i giorni, i capelli lunghi possono diventare pericolosi…»

«Pericolosi?» ho ripetuto, immaginandola avvolta da lunghi fili che tentavano di soffocarla come i tentacoli di una piovra.

Lei ha sospirato.

«Se non li asciughi bene, sfiori la possibilità di ammalarti settantacinque volte più degli altri…» mi ha informato, con un'aria un po' da saputella.

Avrei potuto parlarle della pericolosità di avere le unghie lunghe quando suoni il pianoforte, ma ho preferito desistere. Non ero a conoscenza della percentuale esatta. Dovevo prima verificare.

«Io sono un pianista!» le ho detto, così, tanto per non essere da meno.

«Bello» ha commentato lei.

Fine della conversazione.

Ora di matematica.

«Cosa fai oggi pomeriggio?» mi ha domandato Licia, mentre stavo sistemando le mie cose in cartella poco prima di uscire da scuola.

Ho avuto un leggero sbandamento. Perché me lo chiedeva?

«Vado a casa, mangio, aiuto la mamma a sparecchiare e provo a suonare Rachmaninov!» ho risposto, come se nulla stonasse nel mio elenco. La verità era che Rachmaninov non lo suonavo ancora. La mia maestra di piano diceva che ci voleva ancora un po'.

«È uno che ti ha fatto arrabbiare?» mi ha chiesto Licia.

Ho fatto no con la testa e credo di aver avuto un'espressione ridicola, perché lei è scoppiata a ridere.

«Hai detto suono Rachqualchecosa... come se lo volessi picchiare!»

Ah, ora l'avevo capita. Non era poi così divertente, e se una battuta del genere l'avesse fatta mio fratello l'avrei mandato a quel paese, ma davanti a Licia, con quei suoi capelli sparati e quel sorriso ho istintivamente iniziato a ridacchiare, mentre la classe, intorno a noi, si svuotava.

Un sogno a metà

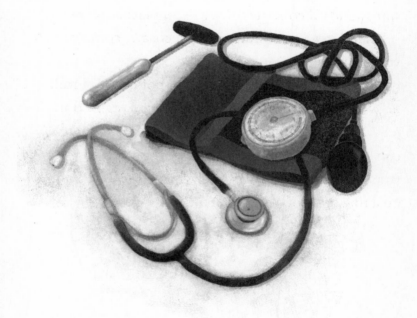

Mia madre è tornata con una borsa piena di roba. Aveva preso un pigiama, lo spazzolino da denti e poi, dimostrando di essere proprio la mia mamma, ha tirato fuori una raccolta di spartiti. Ecco, ora ci siamo!

Ne ho afferrato uno con la mano buona e mi sono aiutato con la bocca ad aprirlo, mentre lei mi toglieva i pantaloni e mi infilava il pigiama.

«Posso farcela da solo! Non sono più un bambino…»

«Lo so, amore. Ti aiuto solo perché non voglio che ti faccia altro male alla mano…»

«*Señora, la doctora Martínez quiere hablar con Usted*» ha detto un'infermiera entrando nella stanza come se non esistesse la porta.

«Arrivo…» ha mormorato mia madre.

Le ho dato il tempo di uscire dalla stanza e sono saltato giù dal letto. L'ho seguita nel corridoio cercando di non farmi vedere.

In fondo, ero solo curioso di sapere il responso. Non poteva essere una cosa fuorilegge.

Mamma è entrata nello studio della dottoressa e io mi sono appiccicato al muro come se fossi fatto di carta adesiva.

«Si accomodi, signora…»

Mamma non ha detto nulla. Credo abbia obbedito perché ho sentito il rumore di una sedia che si spostava.

«Sono un po' preoccupata per la mano di suo figlio…»

Silenzio.

«Non tanto per le fratture ossee. Quelle andranno a posto. Quello che invece potrà creare dei problemi è la lesione del legamento collaterale ulnare del pollice.»

Ho guardato la mia mano ancora dentro alla fasciatura.

«Cosa vuol dire?» ha domandato la mamma.

«Che se suo figlio non avesse progetti di fare il pianista, sarebbe tutto normale. La funzionalità della mano sarà compatibile con la vita di tutti i giorni ma potrebbe risultare viziata per un'attività così specifica…»

Ha iniziato a girarmi la testa. Ricominciamo con tante parole difficili tutte nella stessa frase. Funzionalità, viziata, specifica.

«Ma potrà continuare a suonare?»

«Quello sì, riuscirà a fare tutto, ma non posso garantirle che sarà in grado di dedicare la sua vita al pianoforte...»

«Ascolti. Mio figlio è un ragazzino che ora ha questa passione. Chi può sapere se questo durerà o cosa farà da grande? Lei a dodici anni era certa che sarebbe diventato un chirurgo?»

«No, ma se mi avessero operato a una mano forse non lo sarei mai diventata...»

«Luca è un ragazzino intelligente, ma è anche un grande sognatore, chissà, magari da grande diventerà un avvocato come suo padre.»

Le orecchie hanno iniziato a fischiarmi in modo fastidioso.

Sono tornato in camera come un fulmine. Ho frugato dentro la borsa di mia madre in cerca di qualche moneta per telefonare. Dovevo riuscire a chiamare papà. Lui poteva aiutarmi.

Sono corso in fondo al corridoio, dove avevo visto un telefono, e ho seguito le istruzioni che mi avevano ripetuto mille volte.

«Papà devi aiutarmi! Devi spiegare alla mamma che io voglio davvero fare il pianista!»

«Cosa stai facendo?» mi ha chiesto la mamma, arrivandomi alle spalle.

«Con te non ci parlo! Vattene!»

«Con chi stai parlando, tesoro?»

«Con papà!»

Aveva un'espressione strana, ha allungato la mano sulla cornetta e me l'ha sfilata.

Io mi sono rimesso a correre lungo il corridoio e sono tornato dalla dottoressa Martínez.

«Io sono un pianista! Come glielo devo dire?»

Lei si è alzata dalla scrivania, ci è girata intorno e mi è venuta vicino.

«Perché non ci sediamo?»

«Luca!» è esplosa la mamma, facendo irruzione nella stanza come se fosse disperata.

«Io sono un pianista! Non voglio fare altro...»

«La dottoressa non voleva dire questo, tesoro...»

«Lo so, l'hai detto tu!» E sono scoppiato in lacrime.

La dottoressa si è avvicinata a mia madre e l'ha accompagnata all'uscita.

«Vorrei parlare da sola con il mio paziente» le ha detto.

«Ma io...» ha risposto lei, sgranando gli occhi e ritrovandosi dopo qualche secondo con la porta chiusa in faccia.

«Dottoressa...»

«Chiamami Angela. Mia mamma è italiana esattamente come la tua. Abbiamo almeno una cosa in comune, no?»

La capivo perfettamente, quando parlava, ma c'era qualcosa di strano nel suo modo di pronunciare le parole in italiano. Era una specie di cantilena, come una di quelle filastrocche che si ripetono all'infinito a scuola.

«Hai sentito quello che ho detto a tua madre, vero?»

«Ogni parola, ero nascosto lì dietro.»

Angela mi ha guardato esattamente come avrebbe fatto mio padre.

«Cosa ti piace suonare?»

«Tutto...»

Lei ha sorriso.

«Mi piacerebbe suonare tutto, anche se non so suonare tutto. Non ancora...»

«Sai perché sono diventata medico?»

«Per aiutare gli altri?»

«Sarebbe molto bello se fosse solo così... In realtà volevo somigliare a mio fratello, era lui quello davvero convinto. Quello che avrebbe lavorato in Africa o in qualche altro posto dove le persone muoiono ancora di influenza…»

«E ora dov'è suo fratello?».

«Purtroppo è morto.»

Sono rimasto a bocca aperta.

«Vedi, la vita può cambiare da un giorno all'altro, e non solo se sei la vittima di un brutto incidente, ma anche se sei la persona che da quell'incidente si è salvata senza farsi un graffio…»

«Eravate insieme?»

«Sì, purtroppo. Era una sera piovosa e lui non se la sentiva di guidare. Così mi sono messa al volante io… vuoi un po' di aranciata?»

Ho annuito. Angela si è alzata dalla sedia e ha aperto uno sportello in basso. Dentro si nascondeva un minifrigorifero come quelli che trovi negli hotel. Ha versato un po' di succo in due bicchieri ed è tornata da me.

«Quella sera, se i soccorsi fossero arrivati prima, forse lui si sarebbe salvato…»

«Mi dispiace» ho sussurrato.

«Sono diventata chirurgo per senso di colpa. Ho perso io il controllo dell'auto… così ho giurato che avrei dedicato l'esistenza a salvare la vita alle persone. Volevo diventare cardiochirurgo o traumatologo…»

«E poi cos'è successo?»

«Ho avuto paura. E non ci sono riuscita. L'idea di non essere all'altezza mi paralizzava...»

Ho appoggiato il bicchiere sulla scrivania, senza levarle gli occhi di dosso.

«La vita ha scelto per me. E oggi sono qui a fare quasi quello che sognavo... e sai a chi ho aggiustato la mano la prima volta che ho operato da primario?»

«A chi?»

«A un uomo che se l'era fratturata cercando di evadere di galera. Sono entrata in sala operatoria senza sapere nulla di lui. Durante la visita aveva le manette che lo bloccavano al letto e due poliziotti di guardia.»

«Cos'aveva fatto?»

«Aveva ucciso dodici persone facendo esplodere una bomba alla caffetteria Rolando a Madrid. Era il 13 settembre 1974. Con la stessa mano che poi, proprio io, gli ho aggiustato... Faceva parte di un'organizzazione terroristica...»

«E se l'avesse saputo?»

«Mi sono fatta questa domanda almeno un milione di volte, ma non ho mai voluto darmi una risposta.»

Poi, appoggiando il suo di bicchiere accanto al mio e guardandomi negli occhi, ha detto: «Ci vuole molto coraggio per restare fermi sulle proprie scelte...».

Ero stordito. Non ero certo di aver capito tutto quello che aveva detto e forse mi era sfuggito ciò che, veramente, voleva dire. Gli adulti lo fanno spesso. Dicono una cosa e ne intendono un'altra. Ma la sensazione che provavo era nuova, come quando scopri di avere una nuova amica o, ancor meglio, un'alleata.

«Cosa succederà domani?» le ho chiesto.

«Domani io e te faremo del nostro meglio!»

La Seconda guerra mondiale

I sogni di Albert si infransero quando, nel 1934, fu annunciata la scoperta di un vaccino efficace contro la poliomielite. Gli scienziati che portarono a termine la ricerca furono Brodie e Kolmer.

Park chiese ad Albert di sospendere i suoi studi, perché ormai non ce ne sarebbe più stato bisogno.

Albert non obbedì. Per quanta ammirazione provasse per i due ricercatori, se c'era una cosa che aveva imparato in quegli anni di studio intenso e appassionato era che qualsiasi cura può essere sempre migliorata.

In seguito alla somministrazione del nuovo vaccino, nel giro di pochi mesi si registrarono centinaia di morti.

Fu un clamoroso fallimento che portò a sospendere

non solo la somministrazione del tanto sospirato vaccino, ma tutte le ricerche fino ad allora condotte sulla poliomielite.

Sconfortato dall'inatteso fallimento del vaccino, il trentaduesimo presidente degli Stati Uniti, Franklin Delano Roosevelt, che aveva sempre cercato di nascondere la sua paralisi alle gambe, dichiarò al mondo di essere stato colpito proprio da quella terribile malattia.

La confessione lasciò tutta la nazione senza fiato. Roosevelt, l'uomo che era riuscito a far rialzare il suo paese dopo la Grande Depressione, apparve fragile e vulnerabile.

Il suo appello non passò inosservato.

Ogni 30 gennaio, il giorno del suo compleanno, con lo slogan "Balla, affinché altri possano camminare", si cominciò a organizzare una festa collettiva per raccogliere fondi da destinare alla ricerca di un nuovo vaccino per la poliomielite.

E naturalmente anche il laboratorio di Park si rimise al lavoro.

In uno di quei giorni, Albert decise di tornare nel New Jersey a far visita ai suoi genitori. Ma ad aspettarlo c'era un'altra brutta notizia.

Nella fabbrica in cui lavoravano Tillie e Jacob ne parlavano tutti: in Europa era scoppiata la guerra. Un conflitto terribile minacciava milioni di persone. Hitler, l'uomo più malvagio della storia, aveva mantenuto le sue promesse.

Era il 1° settembre 1939 e fu proprio la Polonia il primo paese a essere attaccato dall'esercito tedesco. I soldati polacchi resistettero solo un mese e il 6 ottobre la bellissima Polonia di Albert si dovette arrendere. Fu l'inizio del conflitto più terribile che la storia ricordi, la Seconda guerra mondiale.

Tillie Sabin piangeva, mentre Jacob continuava a camminare avanti e indietro per la stanza. Non ricevevano lettere dai parenti da tanto tempo e il pensiero che si trovassero in difficoltà non li lasciava dormire.

«È terribile, Albert. Tutti i nostri amici rischiano la vita» disse singhiozzando, «se almeno riuscissimo a comunicare con loro, potremmo invitarli a venire a vivere qui, insieme a noi.»

Albert strinse le mani della madre e cercò di distrarla raccontandole tutte le cose interessanti che aveva imparato, del suo articolo che aveva riscosso tanto successo e della grande fiducia e stima che riponeva in lui il professor Park. Mentre i suoi genitori lo guardavano orgogliosi, lui pensò che se non avesse potuto salvare tutto il mondo, la sua ricerca avrebbe comunque aiutato qualcuno, e quella sera se ne convinse, una volta per tutte.

La guerra travolse l'Europa per un tempo lunghissimo. Intere città furono distrutte e milioni di persone deportate nei campi di concentramento e sterminio. La maggior parte di loro non tornò mai a casa. Il piano nazista era quello di eliminare chiunque "disturbasse" in qualche modo il progetto di Hitler. E dunque oppositori politici, malati mentali, disabili, omosessuali, rom... e gli ebrei, che rappresentavano oltre la metà del totale.

Hitler aveva in testa un piano sconvolgente. Era determinato a conquistare l'intera Europa e per realizzarlo, dopo avere invaso la Polonia, inviò l'esercito in Belgio, Danimarca, Olanda, Norvegia e Francia.

Gli americani seguivano con grande attenzione ciò che stava succedendo dall'altra parte dell'oceano. Da subito si schierarono contro l'egemonia di Hitler, fornendo ai soldati inglesi armi e truppe di supporto.

Ma qualcosa era destinato a cambiare.

Il 7 dicembre 1941 fu una della giornate più terribili per il popolo americano.

Era una domenica tranquilla e a Pearl Harbour, nelle isole Hawaii, nessuno poteva prevedere ciò che stava per accadere. Oggi è ricordata come Operazione Z e vide le forze aeronavali giapponesi attaccare, senza nessuna dichiarazione di guerra ufficiale, la base navale americana, dov'era alla fonda gran parte della flotta del Pacifico della marina statunitense. L'ordine di attaccare fu dato dall'ammiraglio Isoroku Yamamoto e, purtroppo, fu un grande successo. In poche ore, trecentocinquanta aerei nipponici rasero al suolo la base e distrussero le navi da guerra e le portaerei. Morirono più di duemila persone e altrettante rimasero ferite.

L'America era sotto shock. La guerra era arrivata alle spalle e senza preavviso. La libertà era stata minacciata con un colpo al cuore. Era giunto il momento di combattere sul serio.

Silenzio e musica

Mi sono nascosto sotto il letto, immaginandomi la faccia di mia madre quando, entrando nella mia stanza, non mi avesse visto.

Ero ancora arrabbiato con lei e avevo deciso che non le avrei più rivolto la parola.

Potevo accettare che uno sconosciuto fosse preoccupato per le conseguenze dell'operazione alla mia mano, ma non che la mamma nutrisse dubbi sul mio sogno.

Ho sentito i suoi passi e poi la sua voce. Non ho risposto. Dopo un profondo sospiro, la sua testa ha fatto capolino nel mio nascondiglio. Mi sono girato dall'altra parte, come se non esistesse.

Non mi piaceva quel suo modo di starmi addosso

come una mosca sul miele, tutte le volte che si sentiva in colpa per qualcosa.

«Ti aiuto a mangiare...» mi ha detto poco dopo, quando è arrivata la cena.

Mi ha aiutato ad alzarmi, ha sistemato il vassoio e ha preso il cucchiaio. Io gliel'ho sfilato di mano. Sarei stato capace di digiunare piuttosto che farla sentire utile.

«Hai sete?»

Nessuna risposta.

«Vuoi parlare? Mi dispiace per quello che hai sentito, ma guarda che non volevo sminuire la tua passione...»

Silenzio.

«Dai, Luca, non fare così... anch'io alla tua età pensavo che sarei diventata una ballerina...»

L'ho fissata.

«Papà voleva fare l'astronauta, vero?» ho risposto senza guardarla in faccia. Non intendevo accettare che il mio sogno fosse paragonato a un capriccio.

«Quello che voglio dire è che la vita è lunga e tu ce l'hai tutta davanti. La tua passione per la musica è bellissima, ma non è detto che...»

Si è interrotta perché io ho allontanato il vassoio.

Non le ho più risposto.

Quanto avrei voluto che il nonno fosse lì con me in quel momento. Lui mi avrebbe capito. In realtà, sarebbe stata sufficiente la presenza di papà. Lui sapeva sempre come gestire la mamma.

Mia madre ha sospirato e si è avvicinata per darmi un bacio, che io ho scansato. È rimasta nella stanza ancora per un po', mentre io, di spalle, mi mordevo le labbra e cercavo di trattenere un paio di lacrime troppo pesanti.

Alla fine si è arresa ed è uscita dalla stanza.

Non riuscivo a dormire. Avevo i pensieri in fermento come l'acqua quando bolle.

Ho alzato la mano sana e ho mosso un dito dopo l'altro, come se stessi suonando. Ho chiuso gli occhi e ho continuato come se potessi sentire la musica nelle orecchie e i tasti sotto i polpastrelli.

La prima volta, il cuore mi volò in gola come un palloncino a cui si spezza il filo. Il nonno mi fece appoggiare le mani sopra le sue.

«Si fa così. Leggero e deciso. Lo devi accarezzare come se fosse prezioso e ricordati di tenere i polsi più bassi...»

Era una nota sola, ma ebbe su di me il potere detonante dello stordimento e il tempo, quello umano, smise di esistere. Allegro moderato, Andante o Sostenuto che fosse, il tempo per me aveva una nuova dimensione.

Non è passato giorno in cui io non ci abbia pensato. Che fossi a scuola, a pranzo o in giro con la mamma, l'unico desiderio era andare dal nonno.

Mi insegnò lui i primi accordi.

«Ho imparato da ragazzo» mi spiegò, «il nostro vicino di casa era un maestro di musica, ma non c'erano i soldi per le lezioni, così mi sedevo accanto a lui quando suonava e ogni tanto mi lasciava provare...»

Lo feci anch'io. Il nonno suonava una combinazione di note e io la ripetevo un paio di ottave sotto. Era divertente, avremmo potuto fare strada insieme.

Poi, un giorno, la mamma venne a prendermi, e mentre rimettevo i miei libri in cartella, sentii il nonno dirle: «Fagli prendere lezioni di pianoforte...».

Il mio cuore si spiegò come le ali di una farfalla al primo volo. Trattenni il fiato, dietro la spessa tenda del corridoio.

«Pensi che gli piaccia?» chiese mia madre.

«Credo proprio di sì.»

«Ma secondo te ha talento?»

«Il talento dev'essere messo alla prova prima di essere misurato...»

Attesi qualche minuto e poi entrai in salotto come se niente fosse.

La mamma si inginocchiò per darmi un bacio e

abbottonarmi la giacca. Prima di uscire mi voltai verso il nonno. Ricordo che stava ridendo.

Qualche giorno dopo andai alla mia prima lezione di pianoforte. La maestra si chiamava Angela, aveva un sacco di anni e adorava Chopin. Me lo fece ascoltare da una cassetta registrata. La inserì in un mangianastri e bastò che premesse un solo tasto perché la stanza si riempisse di magia. Non era solo questione di suoni, c'erano i colori, i profumi e poi la luce…

«Voglio suonarlo anch'io…»

Lei sorrise.

«Ci vorrà ancora un po'. Prima dobbiamo imparare a leggere le note e rispettare i tempi, ma vedrai che ci divertiremo…»

E così fu. Angela era una signora divertente. Faceva i biscotti e mi lasciava provare i miei accordi in santa pace durante le pause.

Qualche giorno dopo arrivò il trambusto e poi il dolore.

In casa c'era confusione. La mamma era agitata. Era uscita di corsa e poi era rientrata. Aveva il viso stravolto. Aveva pianto, ma cercava di sembrare normale. Mi teneva alla larga fingendo di essere solo indaffarata. Anche il papà rientrò a casa prima del solito, quel giorno.

Il giorno più brutto della mia vita.

A un certo punto la mamma mi chiamò e mi fece sedere accanto a lei. Mi guardò negli occhi. I suoi sembravano tremare.

«Tesoro, il nonno non c'è più...»

Abbassai la testa e sentii che qualcosa di nuovo mi voleva prendere. Una cosa cattiva che ti fa piangere ancora prima di sentire male.

«No!» riuscii a dire prima che i singhiozzi mi riempissero la gola e il naso. Mi venne la nausea e corsi in bagno. Mi chiusi dentro e mi sedetti per terra.

Il nonno aveva avuto un infarto, quella mattina. La sua vicina di casa gli aveva suonato per chiedergli qualcosa e, non avendo nessuna risposta, si era allarmata e aveva chiamato la mamma. Lei si era precipitata e poi era rientrata a prendere le chiavi della sua macchina per andare in ospedale. Il nonno se n'era andato solo dopo avermi fatto conoscere la musica. Il giorno del suo funerale gli promisi che avrei fatto io quello che non aveva potuto fare lui.

La bomba atomica

«Ho deciso di arruolarmi» annunciò ai suoi genitori una sera, dopo essere tornato a casa a trovarli per comunicare la notizia di persona.

«Cosa?! In guerra? Siamo scappati per salvarci, non voglio che tu metta in pericolo la tua vita...» gridò disperata Tillie.

«Lo so, mamma, ma io sono un medico ed è mio dovere andare ad aiutare chi soffre,» spiegò Albert, con la solita convinzione negli occhi.

Tillie scoppiò in lacrime e chiese al marito di impedire ad Albert di partire, ma neanche il padre, ormai vecchio e stanco, riuscì a far cambiare idea al figlio.

Il giovane Sabin, infatti, non era più un bambino sognatore, era un uomo, aveva studiato tanto ed era determinato a fare qualcosa di importante per gli altri.

«Ascoltami, mamma. Se mai fossi ferito, non vorresti che ci fosse uno come me a curarmi?»

Tillie trattenne il respiro e annuì, sforzandosi di dominare la sua disperazione.

Così Albert lasciò il camice bianco e, tra schiere di ragazzi in divisa, si preparò alla partenza.

La sua destinazione fu Okinawa, in Giappone. Una volta arrivato e dopo aver constatato la situazione, Albert si apprestò ad allestire un pronto soccorso da campo e un piccolo laboratorio con i pochi strumenti che era riuscito a portarsi dietro. Passava le giornate a curare le vittime delle esplosioni e dei colpi da arma da fuoco, ma incontrò anche molti bambini affetti dall'implacabile poliomielite. Arrivavano da lui con le mani paralizzate, molti di loro non riuscivano a muoversi e venivano portati in braccio da genitori disperati. Tutti raccontavano la stessa storia: improvvisamente i figli avevano iniziato a lamentarsi perché sentivano un forte dolore alle mani, e nel giro di qualche giorno non erano più riusciti a muoverle. Anche solo bere un bicchier d'acqua o afferrare una penna era una fatica insostenibile e procurava fitte lancinanti.

Non sapendo se, come la difterite, anche la poliomielite si trasmettesse da un bambino all'altro attraverso le vie aeree, Albert visitava i piccoli con la mascherina sul viso, ma c'era qualcosa che non lo convinceva e il suo istinto gli suggeriva che la risposta ai suoi quesiti gli sarebbe giunta proprio dai malati.

Arrivò il 6 agosto 1945. Era quasi tutto pronto per il ritorno in patria quando, alle otto e un quarto del mattino, giunse una notizia confusa e spaventosa. L'aeronautica statunitense aveva sganciato la bomba atomica Little Boy sulla città di Hiroshima. Tre giorni dopo, avrebbe ripetuto il tragico esperimento su quella di Nagasaki.

«Albert!» strillò un'infermiera, correndo a cercarlo.

«Cosa succede?»

«La radio ha detto una cosa di incredibile...» disse la ragazza con voce tremante.

«Calmati e spiegami...»

«È stata appena sganciata una bomba atomica su Hiroshima!»

«Cosa?» sbiancò Albert. «Ma sei sicura? Hanno detto proprio "atomica"?»

L'infermiera annuì, mentre la mente dello scienziato già visualizzava gli scenari più terrificanti.

Bastarono pochi minuti perché la notizia fosse sulla bocca di tutti.

Un giovane ufficiale propose un brindisi.

«Gli Stati Uniti hanno dimostrato di essere l'esercito più potente del mondo e di avere le armi più distruttive! Siamo i migliori!»

Albert si alzò di scatto.

«Ma si rende conto di cosa sta dicendo?»

«Dottor Sabin, cosa c'è che non va?»

«Ma lei ha capito cos'abbiamo fatto? Abbiamo usato il progresso scientifico per uccidere. Le scoperte dei grandi scienziati sono state manipolate per distruggere. Questo è un giorno terribile per il mondo!»

«Dottore, non si è accorto che siamo in guerra? E le ricordo che la guerra è proprio questo: distruggere il proprio nemico» lo freddò l'ufficiale.

«Io so solo che questa guerra aveva già fatto fin troppe vittime. Ha reso orfani bambini, mutilato nel corpo e nella mente milioni di persone, e a tutto questo oggi abbiamo aggiunto l'orrore più grande, la bomba atomica!»

«Quante storie, dottore...!»

«Non sono storie!» reagì brusco Albert. «L'effetto termico di questa bomba disintegra qualsiasi cosa nel raggio di chilometri. Probabilmente Hiroshima non esiste già più, ma le conseguenze delle radiazioni sprigionate dalla fissione nucleare uccideranno un altrettanto considerevole numero di persone negli anni, con gravi ripercussioni di carattere genetico e malformazioni nei feti. Per questo popolo la guerra non finirà mai e sarà solo colpa nostra!» concluse, andandosene.

L'infermiera lo raggiunse.

«È così terribile?»

Albert la guardò.

«Sì, è così terribile. Tutte quelle persone avrebbero potuto fare qualcosa di buono nella vita, qualcosa che avrebbe migliorato il mondo, e invece, di molti di loro non sapremo nemmeno il nome. Molti vedranno morire i loro cari senza poter fare nulla per aiutarli. Non è giusto. I potenti dovrebbero lavorare per costruire la pace per tutti e non la guerra!»

Forza!

«*Hola!*»

Alle sei e quarantacinque, l'infermiera Carmen è venuta a svegliarmi.

Ho aperto prima un occhio e poi l'altro. Avevo troppo sonno per alzarmi e li ho richiusi. Lei non si è data per vinta e ha insistito.

«*Vamos!* È ora di curare la mano.»

Mi sono irrigidito. Ero lì e non stavo sognando. L'intervento, Angela Martínez e il mio pianoforte mi sono piombati addosso con tutto il loro peso.

«*Estás preocupado?*» mi ha chiesto aiutandomi a togliermi il pigiama.

Non sapevo cosa rispondere.

Lo ero, certo, ma nello stesso tempo non ci volevo pensare.

«Non devi. La dottoressa è molto brava… Ora dobbiamo andare a lavarci il braccio, togliere tutti i peli e disinfettare prima *de la operación*…»

Quando ho infilato il camice da sala operatoria, è arrivata la mamma. È rimasta in attesa che l'infermiera finisse le sue manovre e si è avvicinata per darmi un bacio. Poi, da buona madre italiana, ha chiesto: «Dopo l'intervento potrà mangiare?».

«Non subito, ma verso mezzogiorno mangiano qualcosa di leggero…»

L'espressione della mamma era inconfondibile. Delusione pura. Ho immaginato che avesse pensato di accogliermi con qualche leccornia catalana.

«Io e Filippo ti aspettiamo qui!» mi ha detto, poco prima che mi portassero via. Non ho risposto come se non avessi sentito.

La mia mente stava cercando rifugio in un porto sicuro. Pensare al nonno rischiava di farmi piangere, così ho optato per Licia.

Non dimenticherò mai la prima volta che la vidi nuotare. Lei si allenava tutti i giorni, un po' come facevo io con il piano. La differenza era che lei non veniva mai interrogata dai professori o meglio, aveva interrogazioni programmate con almeno tre giorni di anticipo.

«Licia, venerdì devo darti un voto» le disse l'insegnante di inglese.

Tutta la classe si voltò a guardarla.

Lei annuì e quando gli sguardi dei compagni tornarono sulla lavagna mi spiegò: «C'è un accordo con i miei genitori. I prof mi danno una mano per permettermi di andare alle Olimpiadi!».

Sgranai gli occhi.

«Olimpiadi? Quelle che si vedono alla TV?»

Non ero un esperto e credo si capisse.

«Sì, il sogno di ogni atleta…»

«E tu ci andrai?»

«Lo spero. Non quest'anno, ma tra quattro anni potrei…»

La guardai ammirato. Tutta quella sicurezza mi sembrava una novità. In casa mia, era molto difficile che si ascoltassero frasi simili. Mio padre mi ripeteva sempre di impegnarmi al massimo in tutto quello che facevo e di non preoccuparmi mai delle ricompense, perché quelle non sempre arrivano.

Quel venerdì prese un bel voto. Meritato.

Il sabato successivo andai a vederla gareggiare.

Non gliel'avevo detto perché mi vergognavo. Il mio era un piano semplice. Mi sarei recato lì, avrei guardato e me ne sarei tornato a casa. Alla mamma avevo detto che andavo solo a fare un giro in bici. Credibile.

Una volta arrivato, lasciai la bicicletta legata a un palo sul lato destro dell'edificio. Entrai, salii sugli spalti e mi sedetti su un seggiolino accanto a un signore. Nessuno mi domandò nulla.

Una voce all'altoparlante annunciò l'ingresso delle atlete per la gara dei duecento metri stile libero.

Mi chiesi quanto potevano essere duecento metri. Un giorno papà lo disse per indicare la distanza della casa degli zii in campagna.

«Abitano a duecento metri da qui...»

Certo in bici non era molto. E tutto sommato nemmeno a piedi.

Sei ragazze salirono sui blocchi di partenza. La riconobbi, era la terza da destra. Mi spostai sul bordo della sedia di plastica per vedere meglio.

Licia alzò le braccia in avanti, la testa bassa. Fischio. Il cuore iniziò a battermi forte. La vidi sparire nell'acqua. Trattenni il respiro insieme a lei.

Eccola. La sua cuffia riemerse e così respirai anch'io. Braccio destro, braccio sinistro. Restai concentrato sulla sua testa, come se potessi aiutarla con la forza del pensiero.

La cuffia gialla di quella nella prima corsia a sinistra sembrava volerla superare. Tornai in apnea e strinsi i pugni.

«Dai Licia, falla nera!» gridai alzandomi in piedi. Il mio vicino si voltò a guardarmi e io mi rimisi a sedere.

Capriola sott'acqua e si torna indietro. Chiusi gli occhi per qualche secondo.

«Dov'è?» chiesi, prima di rivederla sbucare dall'acqua per la seconda volta.

«È brava la tua amica!» mi disse il signore accanto a me.

«È bravissima! Si allena tutti i giorni e sogna di andare alle Olimpiadi...» risposi.

Licia stava fendendo l'acqua di nuovo nella nostra direzione e io ero tornato in piedi a gridare.

«Forza!»

Doveva mancare poco e io non riuscivo a toglierle gli occhi di dosso. Ancora una virata e si torna indietro.

«Dai, dai, dai... Sìììì» urlai con tutta l'aria che avevo in corpo quando le sue dita toccarono le piastrelle mezzo secondo prima di cuffia gialla.

Ero così felice da non accorgermi che stavo esultando insieme al mio vicino.

Lo guardai. Stava gridando anche lui il nome di Licia e lei stava salutando proprio verso di noi.

«Tu devi essere Luca» mi disse. «Io sono il papà di Licia...»

Strizzai gli occhi, sperando di non essere già color fuoco.

«È stata proprio brava. Le faccia i complimenti...» balbettai, intenzionato a sparire velocemente.

«Aspetta, andiamo a mangiare un gelato con la campionessa, dopo. Vieni anche tu... Se vuoi telefono io ai tuoi genitori...»

Alzai le spalle e decisi di accettare, anche se evitai di guardarlo negli occhi per un po'.

Licia uscì per prima dagli spogliatoi. Era accompagnata da sua madre. Tutti i genitori in attesa delle altre atlete si complimentarono.

Licia si fermò. Guardò prima suo padre, che le sfilò la borsa, e poi me.

«Voi due?»

«Non hai sentito il nostro tifo?» scherzò lui. «Per la prossima volta abbiamo deciso di studiare una vera e propria coreografia. Vero, Luca?»

Sorrisi e li seguii in gelateria.

Un'intuizione geniale

Dopo essere rientrato a Cincinnati, Albert decise che avrebbe visitato di persona i malati di poliomielite. Giorni e giorni di appuntamenti senza quasi riposare. La soluzione doveva essere vicina e lui l'avrebbe scovata. A volte, si dimenticava addirittura di mangiare perché troppo impegnato a studiare i suoi appunti.

Finalmente, una sera ebbe un'intuizione! Aveva diviso per sesso e ruolo famigliare tutte le persone che aveva visitato e si accorse che la lista delle madri e dei bambini era molto più lunga di quella dei padri. Ancora una volta il suo istinto gli disse che avrebbe dovuto ragionare su quel dato.

Albert passò tutta la notte in piedi e non si fermò nemmeno per bere la sua solita tazza di latte. Passeggiò avanti e indietro come faceva suo padre quando era nervoso: qualcosa non tornava.

Perché i bambini malati infettavano soprattutto le loro mamme? Se il contagio fosse passato attraverso il respiro come si credeva, allora tutta la famiglia si sarebbe dovuta ammalare.

Tornò a sedersi. Aveva bisogno di distrarsi un attimo. Portò la tazza di latte alla bocca e sgranocchiò un pezzo di pane, poi, con la pancia finalmente piena, rilesse gli appunti.

La soluzione era sotto i suoi occhi. Controllò il numero di ragazze giovani infettate dalla malattia. Erano sempre le sorelle maggiori ad ammalarsi, proprio come le madri.

«Ho trovato!» esclamò nel cuore della notte saltando sulla sedia come se avesse visto un serpente. «Devo parlarne a Park!» Ma dovette attendere che facesse giorno e il professore entrasse in laboratorio.

«Professore, stavamo sbagliando tutto pensando che la poliomielite si trasmettesse attraverso l'aria. Ho studiato i casi di bambini infetti che ho visto qui in ambulatorio. Ho preso nota di tutti i componenti delle famiglie che si ammalano più facilmente, oltre ai bambini.»

«E cos'hai scoperto?»

Albert prese fiato e con le lacrime agli occhi disse: «La causa della malattia non si trova in gola, ma nella pancia. Sono soprattutto le mamme e le sorelle a occuparsi dei bambini ammalati. Li cambiano e li lavano e contraggono il virus. È ovvio. Dobbiamo partire da qui!»

«Sei un genio, Albert» tuonò Park picchiando i pugni sul tavolo. «Rimettiamoci al lavoro!»

Gli anni che seguirono, tra la fine della guerra e l'inizio degli anni Cinquanta, furono chiamati "della grande corsa" verso lo sviluppo del vaccino.

Le intuizioni di Albert sulle modalità di trasmissione del virus vennero rese pubbliche e messe a disposizione di tutti i laboratori di ricerca.

Proprio in quegli anni, un gruppo di ricercatori dell'Università del Michigan, mise a punto un nuovo tipo di vaccino contro l'influenza. Fu un altro passo in avanti per il mondo della scienza che faceva ben sperare per le condizioni di salute per tutti gli americani. La novità del nuovo vaccino consisteva nell'utilizzo di un virus inattivato e per questo incapace di riprodursi.

In questo modo, il vaccino, una volta somministrato, poteva scatenare una risposta immunitaria per difendere l'organismo da un attacco di futuri virus senza che si manifestasse la malattia.

Tra quei ricercatori, spiccava Jonas Salk, un giovane scienziato laureatosi nel 1939 alla Scuola di Medicina dell'Università di New York.

Il dottor Salk sosteneva che i virus inattivati garantivano un profilo di sicurezza molto più elevato e dopo aver raccolto il successo con il vaccino dell'influenza decise di orientare le proprie forze proprio a sconfiggere la poliomielite.

Jonas Salk e Albert Sabin lavorarono incessantemente nei rispettivi laboratori per trovare una cura efficace e all'inizio degli anni Cinquanta furono entrambi in grado di presentare un progetto per lo sviluppo di un vaccino. Da una parte c'era Salk, il cui vaccino antiinfluenzale fu somministrato all'intero esercito degli Stati Uniti, dall'altra Albert, che aveva messo a punto un vaccino a partire da un virus attenuato, ovvero utilizzando organismi intatti dopo averne indebolito le capacità infettive. Albert era convinto che, così facendo, avrebbe ottenuto un vaccino capace di suscitare una risposta immunitaria in meno tempo.

Albert, inoltre, era piuttosto scettico riguardo al lavoro del rivale. Salk, infatti, non aveva fatto altro che ripetere cose già note. La sua ricerca non rappresentava una novità e tanto meno un passo avanti per il mondo della scienza.

Nonostante quelle perplessità, il governo degli Stati Uniti decise di iniziare a sperimentare il vaccino di Salk. Inattivato e somministrabile in più dosi tramite iniezioni. Un vero spreco di risorse economiche.

La delusione per Albert fu fortissima. Non solo rischiava di buttare via anni di lavoro, sacrifici e idee geniali, ma a voltargli le spalle era stato proprio il governo per cui aveva prestato servizio in guerra.

Un giorno, mentre migliaia di bambini stavano ricevendo la loro prima dose di vaccino Salk, Albert decise di sperimentare anche il proprio. Iniziò da se stesso e in seguito coinvolse i colleghi di laboratorio e la famiglia. Poi, grazie a un collaboratore, il dottor Álvarez, fu convocato dal governo messicano. Ora ne aveva le prove. Il suo vaccino attenuato era efficace e a differenza di quello di Salk poteva essere somministrato per via orale e in una sola dose.

Pochi giorni dopo, proprio nel pieno della campagna di sperimentazione negli Stati Uniti, accadde ancora una volta, qualcosa di terribile. Diversi bambini, che avevano appena ricevuto la prima dose di vaccino, morirono proprio per una forma violenta di poliomielite. Qualcosa era andato storto e il vaccino di Salk fu considerato inefficace al cento per cento.

Il mondo sembrò fermarsi. I giornali si scatenarono e migliaia di genitori formarono comitati al fine di boicottare il vaccino Salk.

Si costituì una commissione parlamentare per decidere se proseguire o interrompere la sperimentazione.

Albert Sabin fu chiamato a testimoniare.

Era una mattina piovosa e Albert era davanti a un grande palazzo dove era stato convocato. Lo fecero accomodare in una sala, in attesa di essere chiamato.

«Grazie di essere venuto, professore. L'abbiamo convocata per avere la sua opinione riguardo al vaccino Salk.»

«Io credo che l'accaduto non dipenda dalla ricerca del dottor Salk.»

La commissione al completo lo guardò stupita. Il grande rivale di Jonas non stava approfittando della situazione per screditare il nemico.

«È molto più probabile che qualche confezione sia stata contaminata prima. Il dottor Salk ha svolto bene il suo lavoro, la sua ricerca è buona e il metodo è sicuro.»

In seguito a quella dichiarazione, il Governo degli Stati Uniti decise di non sospendere la campagna di vaccinazione. Anche in quel caso, l'intuito di Albert si rivelò corretto. I Cutter Laboratories della California, una delle numerose compagnie che avevano ottenuto dal Governo l'autorizzazione a produrre il vaccino di Salk, avevano messo in commercio un lotto di vaccini contaminati da virus vivo.

Qualche tempo dopo, Albert fu contattato dal dottor Mikhail Chumakov, un importante scienziato russo.

«Abbiamo bisogno di te!» gli disse, proponendogli di effettuare la sperimentazione proprio in Russia. Albert dovette riflettere. La situazione politica non era facile. La Russia era l'acerrimo nemico degli gli Stati Uniti. Dopo la fine della Seconda guerra mondiale, le due grandi potenze avevano espresso ideologie e intenzioni politiche completamente diverse e questo aveva portato addirittura a divedere l'Europa in due parti. Era una guerra senza armi e, per questo, definita Guerra Fredda.

Albert non si lasciò spaventare e decise che era giunta l'ora di tornare da dove era partito, in Europa.

Questione di magia

Il sonno ha finalmente avuto la meglio. Dopo l'intervento ho dormito tutto il giorno.

Sono rimasto in una saletta per un po', prima di essere riconsegnato a mia madre. Ma quando sono arrivato in camera, ricordo solo di aver intravisto la sua faccia e quella di mio fratello e di essermi risvegliato molte ore dopo, con la mano che mi faceva male.

La mamma ha chiamato un'infermiera che mi ha messo qualcosa nella flebo ancora attaccata al braccio e io sono ripiombato nel sonno.

In serata, quando mi sono svegliato di nuovo, ho visto mia madre seduta sulla sedia.

«Hai sete, tesoro?»

Ho annuito.

Mi ha avvicinato il bicchiere.

«Ho anche fame...»

«Lo credo, hai saltato il pranzo...»

Poi ha aperto la borsa e ha estratto un panino con il prosciutto avvolto nella carta. Quando l'ho visto ho sentito lo stomaco muoversi e istintivamente ho allungato la mano operata. Una fitta di dolore mi ha fermato.

La preoccupazione è tornata da me.

«È passata Angela?»

«La dottoressa Martínez? Sì, stavi dormendo. Ha detto che secondo lei è andato tutto bene. Ora dobbiamo solo aspettare e poi potrai iniziare la fisioterapia a casa... Per adesso riposa. La dottoressa passerà domani a visitarti e ci saprà dire quando potremo prendere l'aereo...».

«Cos'hai fatto per tutto il giorno?» le ho domandato.

«Sono stata qui, vicino a te.»

Ho guardato la mia mamma. Sembrava triste. Aveva l'aria di una che avrebbe voluto prendere il mio posto.

«Mi dispiace per le cose cattive che ti ho detto ieri...» ho mormorato.

«Anche a me dispiace di averti dato l'impressione di non prenderti sul serio... E hai ragione, se il nonno fosse stato qui, mi avrebbe sgridata!»

«Se il nonno fosse qui, io ne sarei molto felice…» ho ribattuto trattenendo una lacrima, una di quelle grosse.

Lei mi ha dato un bacio e si è seduta accanto a me sul letto.

Mi ha raccontato che anche Filippo era stato lì a guardarmi dormire per quasi tutto il pomeriggio. Poi lei l'aveva spedito in albergo o a fare un giro.

«Tutto il pomeriggio qui a guardarmi?»

«Si sente in colpa per averti fatto cadere…»

«Fa bene a sentirsi in colpa…»

«Non l'ha fatto apposta…»

«Ne sei sicura?»

«Io sì…»

«Gli concederò il beneficio del dubbio…» ho risposto alzando le spalle per manifestare la mia rassegnazione.

Un giorno ho desiderato che mio fratello sparisse.

Avevamo litigato e lui aveva deciso che non potevamo più stare nella stessa stanza. In realtà, in casa non c'era spazio per un'altra camera, quindi Filippo aveva preso del nastro isolante dalla cantina e diviso la nostra in due metà. Io, oltre al mio letto, avevo la scrivania e i libri, lui il tirassegno, il calcio balilla e la porta per uscire.

«Sei prigioniero!» mi disse.

«Non me ne frega niente…» risposi, mettendomi a sfogliare un libro.

«Significa che non puoi andare a mangiare o in bagno…»

«Non ho fame e il resto l'ho appena fatto…»

Mio fratello si è alzato. È arrivato a pochi centimetri dal nostro muro virtuale.

«Così non ti sentirò più strimpellare il tuo odioso pianoforte…»

Una scossa. Non so se mi dava più fastidio l'espressione "odioso pianoforte" o il verbo strimpellare.

Chiusi il libro di scatto e mi guardai intorno. Ero in trappola davvero. Lo odiai. Rimasi lì immobile per un tempo infinito. Non avrei ceduto, ma alla fine fui costretto. Papà mi venne a prendere. Mi trovò abbracciato a un cuscino con le lacrime agli occhi.

Strappò il nastro e mi prese in braccio. Lungo il corridoio passammo davanti a Filippo.

«Sei un coniglio!» mi disse. Io chiusi gli occhi e ingoiai tutta la mia rabbia.

Il giorno dopo decisi che avrei avuto giustizia.

Presi il vecchio libro di magia che avevo ricevuto in regalo a Natale e scelsi l'incantesimo.

Dovevo aspettare che fosse venerdì. Mi dovevo procurare una mela direttamente dall'albero, tagliarla in due e scavare un po' di polpa per inserirci un foglio con il nome di mio fratello e tre suoi capelli. Poi avrei dovuto legare le due metà con uno spago, esprimere il mio desiderio e mettere il frutto in forno.

Abbastanza facile. La mela l'avrei raccolta in campagna. Bastava aspettare il weekend e ci saremmo andati. I capelli di Filippo li avrei presi dalla sua spazzola e lo spago tra le cose di papà.

Dopo quindici giorni avevo tutto il necessario. Strinsi la mela tra le mani e ripetei tre volte: «Fallo sparire».

Poi la portai in cucina, la infilai in forno e me ne andai a guardare la televisione.

Dopo più di un'ora sentii la mamma lanciare un urlo.

Quando entrai in cucina la trovai che guardava la mela carbonizzata, circondata da una nuvola di fumo.

«Cos'hai combinato?»

«Mi dispiace, l'ho dimenticata...»

«Sei impazzito? Volevi mandare a fuoco la casa? Quante volte ti ho detto che non voglio che giochi in cucina senza di me...»

Spalancò le finestre e buttò il mio incantesimo bruciato nella spazzatura.

Io mi giustificai dicendo che era una specie di esperimento scolastico, ma lei era così arrabbiata che non volle ascoltare.

Quella sera mio fratello non rientrò alla solita ora. Io fissavo la porta chiedendomi cosa potesse essere successo. Guardai fuori dalla finestra della sala e poi anche da quella della nostra camera. Di lui nessuna traccia.

In preda all'agitazione corsi dai miei genitori piangendo.

«È tutta colpa mia!»

«Perché?»

«Filippo è scomparso.»

Mamma e papà scoppiarono a ridere.

«È solo in ritardo, tesoro... vedrai che tra poco arriva...»

«Voi non capite...» gridai e mi precipitai nella mia stanza a prendere il libro degli incantesimi, per trovare la formula che annullasse il sortilegio precedente.

Sfogliai le pagine inumidendole di lacrime. Se non l'avessi trovato, non avrei rivisto mio fratello mai più.

Poco dopo la porta si aprì e Filippo salutò la mamma. Chiusi gli occhi e giurai a me stesso che non avrei mai più usato la magia in vita mia. A meno che non fosse strettamente necessario.

Il giorno dopo l'intervento, verso mezzogiorno, Angela mi ha visitato. Mi ha fatto portare in un ambulatorio e mi ha sfasciato la mano.

Era gonfia, violacea e rattoppata come il pollo ripieno che fa la mamma.

L'ho guardata terrorizzato.

«Stai tranquillo, è tutto normale. Il gonfiore passerà nel giro di qualche giorno, il colore ci metterà un po' di più, ma sono contenta.»

«Pensa che potrò tornare a suonare il mio pianoforte?»

«Lo desideri davvero tanto?»

Ho annuito.

«Mi ricordi mio fratello…»

«Davvero?»

«Hai la sua stessa determinazione. Sono certa che sarebbe diventato un grande chirurgo… ora cerca di riposare e tieni ferma la mano. Ci vediamo domani.»

Sono rimasto ancora una settimana, fino al 3 luglio 1984. Il giorno dopo avrei incontrato un vero mito, ma non potendo prevederlo, sono uscito dall'ospedale con un sonno tremendo.

La vittoria del bene

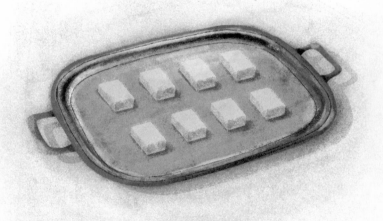

I lavori iniziarono poche settimane dopo, nel freddo clima di Mosca. Albert fu messo a capo di un grande laboratorio. Le attrezzature a disposizione erano un po' obsolete, ma lui sapeva perfettamente cosa fare. Aveva maturato troppa esperienza e aveva lavorato in situazioni terribilmente complicate per lasciarsi abbattere da così poco.

Organizzò tutto in breve tempo. La sua padronanza della lingua russa, studiata quando ancora viveva a Białystok, gli fu molto utile. Addestrò i giovani ricercatori che gli erano stati affidati e assegnò a ciascuno un compito preciso.

Era felicissimo e alla sera, dopo l'interminabile giornata di lavoro, si attardava a rileggere tutti gli appunti sorseggiando qualcosa di caldo.

Nel frattempo, negli Stati Uniti le vaccinazioni proseguivano, con tanti timori da parte della popolazione. Erano molti i genitori che rifiutarono di sottoporre i propri piccoli a un trattamento che consideravano rischioso per la loro vita.

Alla fine del primo mese, Albert aveva prodotto decine di dosi di vaccino pronte per essere usate, e per contrastare il gusto amaro si fece mandare da uno zuccherificio una grande quantità di zollette.

Sul giornale locale venne pubblicato l'annuncio dell'inizio della sperimentazione e la popolazione venne invitata a offrirsi volontaria. Fu scelto un gruppo di bambini i cui genitori si erano presentati spontaneamente dopo aver letto l'invito sul quotidiano. Speravano di poterli salvare da quella brutta malattia.

Ai bambini in fila fu consegnata una zolletta di zucchero intrisa con poche gocce di un liquido ambrato.

Dopo qualche ora, alcune infermiere avrebbero fatto un prelievo di sangue e i risultati avrebbero deciso il futuro di Albert e del mondo intero.

Durante la processione di genitori e bambini pronti a sottoporsi alla vaccinazione volontaria, Albert incrociò un paio di occhi famigliari. Era un uomo alto e magro che teneva per mano due bambini. Si fissarono a lungo.

L'uomo alto gli passò accanto e disse: «Perdonami, non avrei mai dovuto trattarti come ho fatto quando eravamo a scuola. Sono stato uno stupido e ora proprio tu lavori per proteggere i miei figli. Grazie» concluse abbassando lo sguardo.

Era Daniel. Era cresciuto, ma i suoi occhi erano rimasti gli stessi e per un attimo Albert ricordò la paura e l'umiliazione del giorno in cui era stato preso a sassate davanti alla scuola.

«Anch'io devo ringraziarti» gli disse. «Se non mi avessi lanciato quelle pietre, forse non sarei mai partito e la mia vita sarebbe stata diversa. Forse tutto questo non sarebbe accaduto.»

I due uomini si strinsero la mano, mentre i figli di Daniel si infilavano in bocca le zollette di zucchero con il vaccino antipolio.

I risultati degli esami furono eccellenti: tutti i piccoli avevano sviluppato gli anticorpi ed erano quindi protetti dalla poliomielite.

Il ministro della Salute radunò i giornalisti e la televisione per dare l'annuncio.

Era una bellissima giornata, fredda e soleggiata e davanti al Ministero era stato allestito un palco.

La folla accorse. Tutti volevano guardare in faccia l'eroe che li avrebbe salvati.

Alle dieci in punto il ministro salì sul palco.

«Signore e signori, oggi è una giornata speciale. In questi mesi abbiamo lavorato per sconfiggere una delle malattie peggiori che sia mai esistita. Devo ringraziare tutte le persone che hanno collaborato alla messa a punto di questo nuovo farmaco. Un vaccino per sconfiggere la poliomielite. Il merito della scoperta va al dottor Albert Sabin, un brillante scienziato che dopo aver studiato negli Stati Uniti d'America ha deciso di riportare qui, dove è nato, il frutto del suo lavoro. È con grande orgoglio che ve lo presento.»

Pieno di emozione, Albert salì sul palco, fra gli applausi della folla.

Parlò alla gente e gli applausi continuarono finché dal pubblicò non si alzò una mano.

«Dottor Sabin, a chi venderà il brevetto? E cosa farà con tutti i soldi che guadagnerà?»

Albert rimase un attimo in silenzio.

Pensò alla sua famiglia, al professor Park ma anche al signor David, l'uomo che gli aveva regalato il prezioso libro che parlava della vita degli scienziati. Poi rivide gli orrori della guerra e i visi di tanti bambini malati.

«Non brevetterò il mio vaccino» annunciò poi, «voglio che tutti possano averne una dose gratuitamente e il prima possibile. Il nazismo ha sterminato la mia famiglia, la mia vendetta sarà salvare i bambini di tutto il mondo.»

Calò il silenzio. Poi un brusio leggero e alla fine scoppiò un potente applauso. Tutti chiamavano Albert Sabin gridando il suo nome così forte che forse l'avrebbero sentito perfino in America.

4 luglio 1984

Mi sono accorto di essere rimasto sempre nella stessa posizione solo quando il carrello dell'aereo ha toccato terra. Ho sentito il cuore sobbalzare come se mi fossi affacciato dall'ultimo piano di un grattacielo. Ho bisogno di portare la mano libera agli occhi. Sono umidi. Mi sono commosso.

Bruce, accanto a me, ha smesso di parlare. Fissa il sedile davanti come se anche lui si stesse ponendo le mie stesse domande.

«È una storia vera?» gli ho chiesto con un filo di voce.

Lui ha mosso la testa verso di me.

«Quanto è vero che siamo atterrati a Roma in questo momento.»

Mi sono voltato verso il finestrino. L'aeroporto si stava avvicinando.

La mamma si è alzata non appena il segnale luminoso si è spento.

«Va tutto bene, qui?» ha chiesto, vedendo i miei occhi lucidi.

«Mamma, tu lo sai chi era Albert Sabin?» le ho domandato.

Ha alzato lo sguardo come se stesse frugando nei ricordi.

«Il vaccino!» ha esclamato. «La zolletta di zucchero... ti ricordi? L'hai presa anche tu...»

Le ho sorriso, pensando che a volte la mia mamma sa proprio stupirmi.

«E sai che era cieco da un occhio?»

Lei ha scrollato la testa, e intanto ha aperto la cappelliera per recuperare la nostra borsa.

«Ed era ebreo ed è stato perseguitato? E ha combattuto in guerra?»

«No, tesoro. So solo che il vaccino antipolio porta il suo nome...»

«Allora dopo ti racconto tutta la storia!» ho esclamato, poi mi sono girato verso Bruce e come se stessi custodendo un segreto ho chiesto: «Posso?».

Lui ha annuito, con un lento e meraviglioso sorriso.

Le operazioni di sbarco sono state, proprio come quelle di imbarco, più lunghe del dovuto.

Diego Armando Maradona si è alzato, si è voltato per salutarci, si è goduto un applauso ed è sceso insieme alla sua scorta. Dopo qualche minuto siamo sbarcati anche noi comuni mortali.

Bruce si è alzato e prima di infilarsi nel corridoio mi ha detto: «Non farti abbattere dalle difficoltà. Mai!».

Io l'ho guardato allontanarsi. Ho provato un profondo senso di malinconia nel vederlo camminare di schiena, come se stessi lasciando un amico prezioso.

Poi ho visto il libro, *I cacciatori di microbi*, abbandonato sul suo sedile.

«Ha dimenticato questo!» ho gridato, prendendolo in mano, ma Bruce era ormai troppo lontano per sentirmi.

Ho infilato il volume tra la mia pancia e la mano ingessata, mi sono messo in fila con i passeggeri, ho superato un paio di persone facendo attenzione a non farmi male e ho conquistato l'uscita, mentre mia madre mi ordinava di aspettarla. Non la sentivo. Dovevo raggiungere Bruce.

Ho corso lungo il corridoio che portava al ritiro bagagli, e poi, dalla scala mobile, ho visto i capelli color neve del mio amico, che si dirigeva verso l'uscita.

Sono sceso chiedendo il permesso di passare avanti e mi sono scapicollato verso le porte scorrevoli.

«Bruce, aspetta!»

Non mi ha sentito perché fuori c'erano un mare di giornalisti in attesa di fotografare il Pibe de oro.

«Bruce!» ho gridato con tutta l'aria che mi rimaneva nei polmoni dopo la corsa.

Lui si è voltato e mi ha guardato con stupore.

«Il tuo libro...» ho mormorato porgendoglielo.

In quello stesso istante ho visto qualcosa di stranamente famigliare. Dietro di lui c'era un uomo con un cartello con la scritta PROFESSOR SABIN.

Mi sono bloccato. Lo stesso uomo poi, stringendo la mano a Bruce, ha abbassato il cartello.

«Professore, la sua auto l'aspetta...» ha detto al mio compagno di viaggio.

Ho spalancato la bocca.

«Sei tu! Albert, l'eroe che mi ha salvato la vita, sei tu...» ho balbettato.

«Ho fatto solo quello che ho potuto... Un giorno ricordati di dedicarmi una sonata! Il libro puoi tenerlo, a me ormai non serve più...»

Molto tempo dopo...

La relazione che lega la musica all'anima è stretta come il nodo di un marinaio. Questo spiega perché ogni vita ha una propria colonna sonora, o meglio, perché ogni battuta di esistenza possiede una propria melodia. Non esiste un solo neuroscienziato che non avvalori la tesi secondo cui ascoltare musica o suonare uno strumento provoca cambiamenti nel nostro cervello. Capire come e perché questo avvenga è la vera sfida. Potrebbe essere istinto? Lo stesso che ci spinge alla fuga quando scoppia un incendio o ci fa controllare a destra e sinistra prima di attraversare la strada? Non si sa. La musica parte e noi battiamo il tempo, muoviamo qualche muscolo o addirittura balliamo.

Non so se sia istinto di sopravvivenza, so di certo che

l'esistenza della musica dimostra che non siamo fatti di sola carne.

Oggi tocca a me. Mi sveglio alle cinque, alzo le mani davanti alla faccia e muovo le dita come se leggessi lo spartito.

Esco di casa vestito di tutto punto, senza fare rumore. Sono troppo nervoso per chiacchierare con qualcuno, lo farò dopo. Giro un po' in auto. Vado a fare colazione nel solito bar "prima degli esami". Ci vengo da dieci anni. Dopo il compimento inferiore, alla fine del quinto anno, dopo il compimento medio, all'ottavo anno, e certamente non potevo mancare proprio oggi che si conclude anche il mio decimo anno di conservatorio.

Tra qualche ora sarò maestro di pianoforte. Salirò sul palco e suonerò prima le sonate di Ludwig van Beethoven dall'opera 57 all'opera 111, poi la Fantasia in do maggiore, opera 15, *di Schubert e il* Preludio, Corale e Fuga *di* Franck, *per chiudere con l'*Alborada del Gracioso *di Ravel, la musica preferita di mia madre.*

Mi siedo al tavolino e come un rito propiziatorio ripenso a quell'estate. Era il 1984 e Maradona volava in Italia per portare il Napoli dove non era mai arrivato. Ho guardato la cicatrice sulla mano e l'ho accarezzata con il dito. Chissà cosa ne sarebbe stato di me se non fosse accaduto? Chissà cosa sarebbe successo se quel giorno non fossi salito su quell'aereo? Dicono che nulla accade per caso e nessuno lo può testimoniare meglio di me.

Ripenso ad Albert Sabin, alla sua umiltà e a quello che aveva fatto. Ricordo che i giorni a seguire raccontavo la sua storia a tutti quelli che incontravo. Nessuno voleva credere che quell'uomo fosse stato seduto accanto a me in aereo.

Forse questo significa essere un vero mito. Ritenere impossibile che sia esistito davvero, che abbia respirato la tua stessa aria e magari ti abbia raccontato la sua storia, come se fosse una favola.

Forse aveva ragione quel giornalista all'aeroporto. Se quello è Albert Sabin, io sono il Papa.

Penso che l'unica a credermi sia stata Licia, la mia compagna di banco. Era più stupita per ciò che quell'uomo aveva fatto, che non per il fatto che fosse stato sul mio volo.

Albert Sabin è morto il 3 marzo 1993. Aveva ottantasei anni. Se n'è andato come un uomo normale con una pensione da ricercatore e non come il ricco miliardario che sarebbe potuto essere.

Quando ho sentito il suo nome al telegiornale, quel giorno, ho sperato che finalmente avessero deciso di attribuirgli il premio Nobel. Non era così.

Sono rimasto a guardare il suo volto sullo schermo e mi sono commosso come se avessi perso un amico.

Ho allungato una mano e accarezzandogli il viso ho mormorato: «Dicono che a questo mondo siamo tutti utili, ma nessuno è indispensabile. Devono averlo pensato senza contarti. Tu sì che sei stato indispensabile per questo mondo, di molti altri avremmo potuto anche fare a meno, di te no! Buon viaggio, Albert...».

Ho atteso che l'immagine in televisione cambiasse prima di allontanarmi dalla sala. Mi sono chiuso in camera e ho tirato fuori dal cassetto quel vecchio libro, I cacciatori di microbi, di Paul de Kruif, e l'ho riletto. Non parlava di lui ma per lui. Ho onorato così, nell'unico modo che avevo, la sua scomparsa. Un piccolo gesto per ricambiare il grande insegnamento che quel giorno, su quell'aereo, aveva messo tra le mie mani.

Dopo aver finito il caffè ed essermi goduto l'alba, sono andato in Conservatorio, la mia vera casa.

Ho salutato il portiere che mi ha mostrato due dita alzate in segno di vittoria. Lo faceva a ogni esame, quando vedeva passare un candidato.

Sono andato in saletta e mi sono seduto. Ho sfogliato gli spartiti senza leggerli. Ho preso dalla borsa la pallina di gomma con cui ho fatto riabilitazione per anni e mi sono scaldato le mani.

Nel 1984, al nostro rientro dalla Spagna, riprendere a suonare come prima è stato difficile. La mano ha ricominciato a tornare alla normalità solo dopo un paio di mesi e se muoverla non sembrava impossibile, eseguire una sonata, anche delle più semplici, diventava doloroso. Non riuscivo a resistere a lungo e nemmeno a coprire un'intera ottava. La mano rotta era sempre più lenta dell'altra, come se fosse un paio di tempi indietro, come se alcuni movimenti non esistessero più.

Lo sconforto era tagliente come una verità che era meglio non scoprire. Rabbia, grida, voglia di mollare tutto erano diventati i compagni delle mie giornate.

Poi pensavo a quell'uomo, alla sua cecità, alle persecuzioni razziali, al governo americano che non l'aveva mai appoggiato e alle vite che, nonostante tutto, aveva salvato. La mia compresa. Forse per due volte.

Così mi sono messo al lavoro. Ogni giorno. Tra il male e lo sconforto. Per mesi, senza sosta.

Licia nel frattempo era diventata la mia migliore amica. Lei passava le sue giornate in piscina e io a casa della maestra Angela. Poi insieme fino a sera a fare i compiti per il giorno dopo. L'amicizia si intrecciava ai sogni. Io volevo superare le selezioni per entrare al Conservatorio e lei aspirava al titolo nazionale.

Poi il suo incidente in motorino. Era il giorno del mio esame di ammissione. Avevo studiato giorno e notte e lei quella mattina non era fuori ad aspettarmi.

La corsa in ospedale e la notizia, tremenda. Addio nazionali, addio Olimpiadi. La riabilitazione per la frattura al ginocchio aveva la priorità su tutto.

Ricordo le sue lacrime. Le ricordo oggi come se le avessi ancora davanti.

Ora tocca a me. Ho la camicia bianca con il colletto stirato al meglio da mia madre e il completo nero. Non ricordo di essere mai stato così elegante in tutta la mia vita.

Sono pronto per affrontare il palco dell'auditorium.

Aspetto di sentire il mio nome e salgo i tre scalini. Scosto la tenda. La luce illumina tutto.

Vado verso il pianoforte, ma prima di sedermi mi giro verso il pubblico. La sala è divisa in due. Nella prima fila a destra ci sono tutti i miei insegnanti e gli esaminatori esterni, dall'altra parte, sulla sinistra, altri volti noti. Mamma e papà si stringono le mani, trattenendo il respiro. Filippo, accanto a loro, alza il pollice destro, il suo modo per dirmi che mi vuole bene. Poi, il grande amore della mia vita, dopo la musica, la più bella insegnante di nuoto che si sia mai vista, Licia. Quanto avrei voluto che anche il nonno fosse lì, in platea insieme al resto della famiglia. Un leggero inchino per il mio pubblico, e il mio sguardo cade sull'ultima sedia, rimasta vuota. C'era sopra un libro che riconoscerei tra mille. Le sue pagine consunte lo rendono spesso almeno il doppio.

Sorrido e mi inchino di nuovo. Per lui e per il mio sogno che si è realizzato, anche se lui non ha avuto abbastanza tempo per essere qui, oggi.

Distolgo lo sguardo perché la commozione, in questo momento, non può avere la meglio, e faccio quello che so fare.

Suono.

Grazie, Albert.

Nota dell'autrice

Molti anni fa, quando andavo ancora a scuola, mio nonno mi narrò la storia, tra le tante che amava raccontarmi la sera prima di dormire, di Albert Bruce Sabin, l'uomo che salvò i bambini del mondo.

Sabin nacque in Polonia nel 1906, ma dalla sua terra fu costretto ad allontanarsi a causa del clima antisemita che si stava diffondendo quando lui era ancora un ragazzo.

Studiò Medicina negli Stati Uniti e scoprì il vaccino contro la poliomielite, una delle malattie più terribili che l'umanità abbia mai contratto.

Sabin decise di non brevettare quel vaccino, di non arricchirsi, seppur in modo onesto, ma di permettere che tutti i bambini del mondo fossero curati gratuitamente.

Ecco cosa significa per me essere un vero eroe, un mito o una leggenda. Sono cresciuta raccontando questa storia, sconosciuta alla maggior parte delle persone, a tutti quelli che incontravo. Era il mio modo di rendergli l'onore che meritava, proprio a lui, che non fu mai insignito del premio Nobel.

È la storia di un uomo onesto e paziente che ha dedicato tutto quello che aveva per salvare la vita a noi. Vi sembra poco? Non lo è.

Albert Sabin ha tenuto conferenze in tutto il mondo e ha insegnato quello che sapeva a migliaia di giovani medici, ha volato per l'Europa in classe economica ed è passato inosservato in aeroporti stracolmi di gente assiepata per salutare divi, star del cinema e del calcio. Nessuno che lo riconoscesse per quello che era. L'uomo che proprio a quella folla aveva salvato la vita.

Il 3 marzo del 1993 se n'è andata una delle figure più nobili mai esistite, e l'ha fatto in silenzio, come un uomo qualunque, ma solo dopo aver collezionato ben quaranta lauree ad honorem.

Ricordo quel giorno come se fosse oggi.

La televisione diede l'annuncio. Una notizia come tante. Il suo volto comparve sullo schermo per qualche secondo, ma nella mia testa è rimasto per sempre. Era l'uomo della zolletta di zucchero e dei bambini che sorridono, l'uomo grazie al quale eravamo ancora tutti lì, sani. Il servizio è durato poco, c'erano tante altre notizie da dare quel giorno, ma di certo non così importanti.

Albert Sabin è stato il mio eroe ed è per questo che ho voluto raccontare la sua storia con la veste che merita, quella di una storia per ragazzi, perché Albert Bruce Sabin ha tanto da insegnarci, ancora oggi. E in questa frase è racchiuso tutto il suo spirito:

«Gli ufficiali delle SS mi hanno ucciso due meravigliose nipotine, ma io ho salvato i bambini di tutta l'Europa».

Non la trovate una splendida vendetta?

Breve cronologia della scienza medica

1796 – Edward Jenner prepara il primo vaccino efficace contro il vaiolo, grave malattia infettiva di origine virale.

1800 – Humphry Davy scopre le proprietà anestetiche dell'ossido nitroso, il cosiddetto "gas esilarante".

1805 – Friedrich Serturner isola e analizza la morfina, un potente antidolorifico, estratta dal papavero da oppio.

1816 – René Laennec inventa lo stetoscopio, lo strumento utilizzato per auscultare il cuore.

1824 – Louis Braille crea il sistema di lettura e scrittura a rilievo che permetterà ai non vedenti di leggere con le dita.

1839 – Rudolf Virchow pubblica la teoria cellulare secondo cui ogni essere vivente è formato da una o più cellule.

1842 – Crawford Williamson Long pratica il primo intervento chirurgico con anestesia.

1862 – Felix Hoppe-Seyler scopre l'emoglobina, una proteina di colore rosso, presente nei globuli rossi.

1862 – Louis Pasteur comprende che il calore può distruggere i germi patogeni e riesce a dimostrare che le alterazioni dei cibi a contatto con l'aria sono causate dalla presenza di microrganismi invisibili a occhio nudo. Tali alterazioni si possono evitare con la pastorizzazione, portando cioè l'alimento ad alta temperatura per un breve momento e conservandolo poi in contenitori sigillati.

1865 – Gregor Mendel pubblica i primi studi sull'ereditarietà genetica da genitori a figli, che lo porteranno a stabilire le tre leggi alla base della genetica moderna.

1869 – Dmitrij Ivanovič Mendeleev pubblica la prima tavola periodica degli elementi moderna, organizzando i 66 elementi noti all'epoca secondo il peso atomico di ciascuno e lasciando spazi liberi disponibili per inserire gli elementi ancora sconosciuti, secondo lo stesso criterio.

1869 – Friedrich Miescher scopre il DNA, l'acido desossiribonucleico, che contiene tutte le informazioni genetiche di ogni essere vivente.

1882 – Robert Koch annuncia la scoperta del bacillo della tubercolosi, una grave malattia infettiva che attacca i polmoni e le vie respiratorie e si trasmette per via aerea.

1883 – Sir Alexander Ogston isola lo stafilococco, batterio causa di gravi infezioni, e lo distingue dallo streptococco.

1883 – Robert Koch prepara la tubercolina, l'estratto di bacilli tubercolari utile per la diagnosi dell'avvenuta infezione di tubercolosi.

1895 – Alfred Nobel, ricchissimo inventore della dinamite, con un lascito testamentario istituisce i premi Nobel.

1895 – Wilhelm Conrad Röntgen scopre i raggi X.

1899 – Bayer brevetta l'Aspirina (acido acetilsalicilico), un farmaco antinfiammatorio, analgesico e antipiretico.

1900 – Lord Ernest Rutherford scopre che la radioattività è una disintegrazione di atomi, e conia i termini per i vari tipi di radiazione.

1906 – Sir Frederick Gowland Hopkins scopre le vitamine e suggerisce che la loro carenza sia la causa di malattie come lo scorbuto (carenza di vitamina C) e il rachitismo (carenza di vitamina D).

1910 – Thomas Hunt Morgan dimostra che i geni risiedono nei cromosomi.

1929 – Sir Alexander Fleming pubblica uno studio sulla scoperta della penicillina, un antibiotico prodotto da alcune specie di funghi, i *penicillium*.

1933 – Jean Brachet dimostra che il DNA si trova nei cromosomi e che l'acido ribonucleico, RNA (molecola che ha un ruolo di codifica, decodifica e regolazione dei geni) è presente nel citoplasma di tutte le cellule.

1944 – Edward Calvin Kendall scopre il cortisone, un ormone utilizzato come farmaco che ha la capacità di deprimere il sistema immunitario.

1944 – Viene messa a punto la streptomicina, un antibiotico particolarmente efficace contro la tubercolosi.

1947 – Il cloramfenicolo, un antibiotico, viene usato per curare il tifo.

1948 – Benjamin Duggar scopre l'aureomicina, o clorotetraciclina, un antibiotico efficace contro la polmonite e altre infezioni.

1949 – Selman Abraham Waksman (che nel 1952 riceverà il premio Nobel per la medicina, per i suoi studi sugli antibiotici) scopre la neomicina, un antibiotico a largo spettro utilizzato anche come sterilizzatore.

1950 – Si scopre la tetramicina, un altro antibiotico a largo spettro, capace di inibire la crescita batterica.
1953 – James Watson e Francis Crick propongono il modello a doppia elica del DNA.

1953 – Sabin inizia la sperimentazione sull'uomo del vaccino attenuato per curare la poliomielite.

1961 – Grazie a una serie di studi scientifici condotti da vari scienziati si giunge alla decodifica del codice genetico, ovvero l'insieme di regole utili a tradurre le informazioni contenute negli acidi nucleici che formano i geni per la sintesi delle proteine nelle cellule.

1962 – L'American Medical Association raccomanda che tutte le vaccinazioni antipolio siano eseguite con il metodo Sabin.

1967 – Christian Neetling Barnard effettua il primo trapianto di cuore.

1975 – Renato Dulbecco riceve il premio Nobel per la medicina per gli studi sull'interazione tra virus tumorali e materiale genetico delle cellule.

1980 – L'Organizzazione mondiale della sanità (OMS) dichiara ufficialmente debellato il vaiolo.

1986 – Rita Levi Montalcini, neurologa e scienziata, riceve il premio Nobel per la medicina per la scoperta del fattore di crescita nervosa.

1990 – Parte il progetto scientifico internazionale Genoma umano (HGP, Human Genome Project, uno dei principali e più importanti progetti di ricerca della scienza moderna), che intende determinare le sequenze delle coppie di basi azotate del DNA e mappare e comprendere la funzione di tutti i geni umani.

1992 – La pubblicazione di uno studio dell'Università canadese McMaster dell'Ontario mette un punto fermo sulla "medicina basata sull'evidenza", ovvero su protocolli standardizzati e sostenuti da studi scientifici che progressivamente, nel corso del Ventesimo secolo, hanno sostituito le opinioni e le esperienze personali dei singoli medici.

1996 – Nasce la pecora Dolly, il primo mammifero a essere clonato a partire da una cellula adulta, creandone una copia con caratteristiche genetiche identiche.

Fine del Ventesimo secolo – Con l'introduzione di vari tipi di vaccini specifici si contrastano diverse forme di

meningite, malattia che può causare gravissime compli-
canze e portare alla morte.

2003 – Il Progetto genoma umano viene completato, due
anni prima del previsto.

2016 – L'Organizzazione Mondiale della Sanità ha annunciato che finalmente è disponibile un vaccino efficace contro il virus Ebola.

2017 – Grazie al vaccino, l'OMS conta di arrivare all'e-
radicazione completa della poliomielite entro la fine
dell'anno.

S.R.

Ringraziamenti

Durante la stesura di questo libro ho avuto la fortuna di contattare il professor Giulio Tarro, che ringrazio con stima e ammirazione per avermi regalato preziosi aneddoti sulla vita di Albert Sabin. La sua disponibilità mi ha dimostrato, ancora una volta, che, spesso, più le persone sono "grandi" più sanno essere generose e gentili.

Il professor Giulio Tarro è stato professore di Virologia Oncologica dell'Università di Napoli, primario emerito dell'Ospedale "D. Cotugno" e "figlio scientifico" di Albert Bruce Sabin. Presso l'Università di Cincinnati, ha studiato, per primo, l'associazione dei virus con alcuni tumori dell'uomo e successivamente ha scoperto la causa del cosiddetto "male oscuro di Napoli", isolando il virus respiratorio sinciziale, VRS, nei bambini affetti da bronchiolite. Grande ufficiale dell'Ordine al Merito della Repubblica, ha ottenuto numerosissimi riconoscimenti: il premio Lenghi dell'Accademia dei Lincei, le medaglie d'oro del Presidente della Repubblica, su proposta del Ministero della pubblica istruzione e del Ministero della salute, diverse cittadinanze onorarie italiane e lauree honoris causa all'estero.

Indice